Collection folio junior

Quentin Blake est né dans la banlieue de Londres en 1932. Il a publié son premier dessin à l'âge de seize ans dans le magazine humoristique *Punch*. Depuis son premier album, édité en 1960, il a créé environ deux cents livres – un rythme moyen de six titres par an ! – devenant l'un des illustrateurs les plus célèbres en Grande-Bretagne, en France et dans le monde entier. Ses dessins, débordant de joie de vivre et de malice, ont influencé de nombreux jeunes illustrateurs. Il a fondé le département « illustration » du Royal College of Art. Il vit à Londres mais fait de longs séjours dans sa maison de l'ouest de la France.

Pour Roald Dahl, il a imaginé les dessins de *Matilda, Charlie et la chocolaterie, La Potion magique de Georges Bouillon, Les Deux gredins, Sacrées Sorcières, Le Bon Gros Géant*... tous publiés dans la collection Folio Junior.

Roald Dahl, d'origine norvégienne, est né au pays de Galles en 1916. Avide d'aventures, il part pour l'Afrique à l'âge de dix-huit ans et travaille dans une compagnie pétrolière, avant de devenir pilote de chasse dans la Royal Air Force pendant la Seconde Guerre mondiale. Il échappe de peu à la mort, son appareil s'étant écrasé au sol ! A la suite de cet accident, Roald Dahl se met à écrire... mais c'est seulement en 1960, après avoir publié pendant quinze ans des livres pour les adultes, que Roald Dahl débute dans la littérature pour la jeunesse avec *James et la grosse pêche*, bientôt suivi, avec un succès toujours croissant, de *Charlie et la chocolaterie*, puis d'une série de best-sellers parmi lesquels *Le Bon Gros Géant, Charlie et le grand ascenseur de verre, Matilda...* Dans la seule Grande-Bretagne, plus de onze millions de ses ouvrages pour la jeunesse se sont vendus entre 1980 et 1990 !

Roald Dahl, ce géant qui parfois choquait les adultes, mais comprenait les enfants et les aimait, est mort le 23 novembre 1990, à l'âge de soixante-quatorze ans.

Titre original :
The Witches

ISBN : 2-07-051338-6
Loi n° 49-956 du 16 juillet 1949
sur les publications destinées à la jeunesse

Dépôt légal : novembre 2001
1er dépôt légal dans la même collection : octobre 1990
N° d'édition : 08770 - N° d'impression : 57414
Imprimé en France sur les presses de la Société Nouvelle Firmin-Didot

Roald Dahl

Sacrées Sorcières

Traduit de l'anglais par
Marie-Raymond Farré

Illustrations de Quentin Blake

Gallimard

Pour Liccy

Les vraies sorcières

Dans les contes de fées, les sorcières portent toujours de ridicules chapeaux et des manteaux noirs, et volent à califourchon sur des balais.

Mais ce livre n'est pas un conte de fées.

Nous allons parler des *vraies sorcières,* qui vivent encore de nos jours. Ouvrez grand vos oreilles, et n'oubliez jamais ce qui va suivre. C'est d'une importance capitale. Voici ce que vous devez savoir sur les *vraies sorcières* :

Les vraies sorcières s'habillent normalement, et ressemblent à la plupart des femmes. Elles vivent dans des maisons, qui n'ont rien d'extraordinaire, et elles exercent des métiers tout à fait courants.

Voilà pourquoi elle sont si difficiles à repérer !

Une *vraie sorcière* déteste les enfants d'une haine cuisante, brûlante, bouillonnante, qu'il est impossible d'imaginer. Elle passe son temps à comploter contre les enfants qui se trouvent sur son chemin. Elle les fait disparaître un par un, en jubilant. Elle ne pense qu'à ça, du matin jusqu'au soir. Qu'elle soit caissière dans un supermarché, secrétaire dans un bureau ou conductrice d'autobus.

Son esprit est toujours occupé à comploter et conspirer, mijoter et mitonner, finasser et fignoler des projets sanglants.

« Quel enfant, oui, quel enfant vais-je passer à la moulinette ? » pense-t-elle, à longueur de journée.

Une *vraie* sorcière éprouve le même plaisir à passer un enfant à la moulinette qu'on a du plaisir à manger des fraises à la crème. Elle estime qu'il faut faire disparaître un enfant par semaine ! Si elle ne tient pas ce rythme, elle est de méchante humeur. *Un enfant par semaine, cela représente cinquante-deux enfants par an !*

Un tour, deux tours de moulinette, et hop !... plus d'enfant !

Telle est la devise des sorcières.

Mais la victime est souvent choisie avec soin. Voilà pourquoi une sorcière traque un enfant comme un chasseur traque un petit oiseau dans la forêt. La sorcière marche à pas feutrés... elle bouge lentement, au ralenti... de plus en plus près... puis enfin, elle est prête et *pfroutt !* ... elle fonce sur sa victime comme un faucon. Des étincelles crépitent, des flammes jaillissent, des rats rugissent, des lions fulminent... Et l'enfant disparaît !

Une sorcière, vous comprenez, n'assomme pas un enfant ; elle ne le poignarde pas dans le dos ; elle ne le tue pas d'un coup de pistolet. Les gens qui se conduisent ainsi finissent par être capturés par la police.

Mais une sorcière n'est jamais jetée en prison. N'oubliez pas qu'elle a de la magie au bout des doigts, et le diable dans la tête. Grâce à ses pouvoirs magiques, les pierres peuvent bondir comme des grenouilles, et des langues de feu papilloter à la surface des eaux.

Terrifiants pouvoirs !

Heureusement, il n'y a plus beaucoup de sorcières, de nos jours. Mais il en reste suffisamment pour vous donner le frisson. En Angleterre, il y en a probablement une centaine. Certains pays en ont plus, d'autres beaucoup moins. Mais aucun pays du monde n'est à l'abri des sorcières.

Une sorcière, c'est toujours une femme.

Je ne veux pas dire du mal des femmes. La plupart sont adorables. Mais le fait est que les sorcières sont toujours des femmes et jamais des hommes.

Il n'y a pas de sorcier, mais il y a des vampires ou des loups-garous, qui, eux, sont toujours des hommes. Les vampires et les loups-garous sont dangereux, mais une sorcière est *deux fois plus dangereuse !*

En tout cas, pour les enfants, une véritable sorcière est la plus dangereuse des créatures. Ce qui la rend doublement dangereuse, c'est qu'elle a l'air inoffensive ! Même si vous êtes bien au courant (et bientôt, vous allez connaître tous les secrets des sorcières), vous n'êtes jamais absolument sûr d'être en présence d'une sorcière ou d'une charmante femme.

Si un tigre pouvait se transformer en un gros chien qui remue la queue, vous iriez certainement lui caresser le museau, et... vous seriez le festin du tigre ! C'est pareil avec les sorcières, car elles ressemblent toutes à des femmes gentilles.

Veuillez regarder le dessin

Laquelle des deux femmes est une sorcière ?

Question difficile !

Et pourtant, tous les enfants devraient pouvoir répondre sans hésitation.

Maintenant, vous savez que votre voisine de palier peut être une sorcière.

Ou bien la dame aux yeux brillants, assise en face de vous dans le bus, ce matin.

Ou même cette femme au sourire éblouissant qui vous a offert un bonbon, au retour de l'école.

Ou encore (et ceci va vous faire sursauter !) votre charmante institutrice qui vous lit ce passage en ce moment même. Regardez-la attentivement. Elle sourit sûrement, comme si c'était absurde. Mais ne vous laissez pas embobiner. Elle est très habile.

Je ne suis pas, bien sûr, mais pas du tout, en train d'affirmer que votre maîtresse est une sorcière. Tout ce que je dis, c'est qu'elle peut en être une. *Incroyable ?... mais pas impossible !*

Oh ! si seulement il y avait un moyen de reconnaître à coup sûr une sorcière, alors, c'est elle qui passerait à la moulinette ! Malheureusement, il n'existe pas de moyen sûr. Mais il y a un certain nombre de petits signes et de petites habitudes bizarres que partagent toutes les sorcières. Et si vous les connaissez, alors, vous pourrez échapper à la moulinette pendant qu'il est encore temps !

Grand-mère

A huit ans, j'avais déjà rencontré deux fois des sorcières. La première fois, je m'en étais tiré sain et sauf. J'eus moins de chance la deuxième fois. Lorsque vous lirez ce qui m'arriva, vous pousserez, sans doute, des cris d'effroi. Mais il faut dire toute la vérité, même si elle est horrible. Enfin, je vis toujours, et je peux vous parler (même si je ne suis plus... ce que j'étais !), et cela, je le dois à ma merveilleuse grand-mère.

Grand-mère était norvégienne, et les Norvégiens connaissent bien les sorcières. Avec ses sombres forêts et ses montagnes enneigées, la Norvège est le pays natal des premières sorcières. Mes parents étaient également norvégiens, mais comme mon père travaillait en Angleterre, c'est là que je suis né et que je suis allé à l'école pour la première fois.

A Noël et en été, nous revenions voir Grand-mère en Norvège. La vieille dame, si je me souviens bien, était la seule parente qui nous restait. C'était la mère de ma mère, je l'adorais et je dois avouer que je me sentais plus proche d'elle que de ma mère. Ensemble, nous parlions tantôt anglais tantôt norvégien, peu nous importait. Nous parlions couramment les deux langues.

Je venais d'avoir sept ans. Comme d'habitude, mes parents m'emmenèrent en Norvège pour passer Noël chez Grand-mère. Alors que nous roulions au nord d'Oslo par un froid glacial, notre voiture dérapa et dégringola dans un ravin. Mes parents moururent sur le coup. Ma ceinture de sécurité me retint au siège arrière, et je m'en sortis avec une simple blessure au front.

Je ne raconterai pas les événements horribles de ce terrible après-midi. Lorsque j'y pense, j'en ai encore des frissons. Bien sûr, j'échouai dans la maison de Grand-mère. Elle me serra très fort dans ses bras, et nous passâmes toute la nuit à sangloter.

– Qu'allons-nous faire, à présent ? demandai-je.

– Tu vas rester avec moi, répondit-elle. Je m'occuperai de toi.

– Je ne reviendrai pas en Angleterre ?

– Non, dit-elle. Je ne pourrai pas y vivre. Dieu me pardonne, mais j'aime trop la Norvège.

Le lendemain, espérant me faire oublier mon chagrin, Grand-mère se mit à me raconter des histoires. C'était une merveilleuse conteuse, et tout ce qu'elle disait me captivait.

Mais je fus véritablement envoûté lorsqu'elle commença à me parler des sorcières.

– Attention, mon petit, dit Grand-mère. Je vais te parler des vraies sorcières. Il ne s'agit pas des sorcières des contes de fées, mais de *créatures* bien vivantes ! Je ne mentirai jamais. Je te dirai l'horrible et l'épouvantable vérité. Tout ce que je vais te raconter est réellement arrivé. Et le pire, c'est que les sorcières vivent toujours parmi nous, et qu'elles ressemblent à n'importe quelle femme. Il faut que tu me croies, sur parole.

– Pourquoi ? Est-ce incroyable, Grand-mère ?

– Mon petit, dit-elle, tu ne feras pas long feu dans ce bas monde si tu ne sais pas reconnaître une sorcière.

– Mais tu m'as dit que les sorcières ressemblaient à n'importe quelle femme ! Alors, comment les reconnaître ?

– Écoute-moi attentivement, dit Grand-mère. Et retiens bien tout ce que je vais t'apprendre. Après tu feras le signe de croix, tu prieras, et tu souhaiteras que Dieu te protège.

Nous nous trouvions dans la grande salle à manger de sa maison dOslo, et je m'apprêtai à aller au lit. Les rideaux n'étaient jamais tirés et, par la fenêtre, je voyais de gros flocons de neige tomber sur un monde triste et sombre. Grand-mère était une femme forte et massive, très vieille et très ridée, vêtue d'une robe de dentelle grise. Majestueuse, elle trônait dans son fauteuil, *où il n'y avait pas place pour la moindre souris !* Quant à moi, j'étais accroupi à ses pieds, en pyjama, robe de chambre et pantoufles.

– Tu jures que tu ne vas pas te moquer de moi, Grand-mère ?

– Écoute, dit-elle. J'ai connu cinq enfants, oui, *cinq enfants,* qui ont *disparu* de cette terre, et qu'on n'a plus jamais revus. Un coup des sorcières.

– Tu essaies de me faire peur ! m'écriai-je.

– Tout ce que je veux, dit-elle, c'est que tu ne *disparaisses* pas, toi aussi. Je t'aime, et je veux que tu restes avec moi.

– Parle-moi des enfants qui ont *disparu*, demandai-je.

C'était la seule grand-mère, que j'ai connue, qui fumait le cigare. Elle en alluma un, un long cigare noir qui sentait le caoutchouc brûlé.

– La première enfant, commença-t-elle, s'appelait Ranghild Hansen. Ranghild était une petite fille de huit ans. Un jour, elle jouait sur la pelouse avec sa petite sœur. Leur mère, qui préparait du pain dans la cuisine, sortit pour respirer un peu.

« Où est Ranghild ? » demanda-t-elle.

« Elle est partie avec la grande dame », répondit la petite sœur.

« Quelle grande dame ? » demanda la mère.

« La grande dame aux gants blancs, répondit la petite sœur. Elle a pris Ranghild par la main, et l'a emmenée avec elle. »

Personne ne revit jamais Ranghild.

– Est-ce qu'on l'a cherchée ? demandai-je.

– On l'a cherchée à des kilomètres à la ronde, répondit Grand-mère. Tous les gens du village s'y sont mis, mais ils ne l'ont jamais retrouvée.

– Qu'est-il arrivé aux quatre autres enfants ? demandai-je.

– Ils ont *disparu,* tout comme Ranghild. *Avant chaque disparition, une étrange dame rôdait devant la maison.*

– Mais comment ont-ils *disparu*, Grand-mère ?

– La seconde *disparition* fut fort curieuse. Les Christiansen vivaient à Holmenkollen, et, dans leur salle à manger, il y avait une vieille peinture à l'huile dont ils étaient très fiers. Le tableau représentait des canards dans une cour, devant une ferme. A part cette flopée de canards, il n'y avait aucun personnage. C'était un grand et beau tableau. Eh bien, un jour, leur fille Solveg revint de l'école en croquant une pomme. Elle dit qu'une gentille dame la lui avait donnée dans la rue. Le lendemain matin, la petite Solveg n'était plus dans son lit. Ses parents la cherchèrent partout, en vain. Puis, soudain, le père s'écria : « Je l'ai trouvée ! Solveg donne à manger aux canards ! » Il désignait le tableau et, en effet, Solveg s'y trouvait. Dans la cour de la ferme, elle faisait le geste de jeter du pain aux canards. Le père courut vers le tableau, et le toucha. Mais cela ne servit à rien : la petite fille faisait partie du tableau. Elle était peinte sur la toile !

– L'as-tu vu ce tableau, Grand-mère ?

– Plusieurs fois, et le plus curieux, c'est que la petite Solveg changeait chaque jour de place. Une fois, elle

regardait par la fenêtre de la ferme. Une autre fois, elle se tenait sur le côté gauche du tableau, un canard dans les bras...

– L'as-tu vue changer de place, Grand-mère ?

– Non, ça, personne ne l'a vue. Quand elle donnait à manger aux canards ou qu'elle regardait par la fenêtre, elle ne bougeait pas. Ce n'était qu'un petit personnage peint à l'huile. Et de plus, elle grandissait avec les années ! Dix ans plus tard, la petite fille était devenue une jeune fille. Trente ans plus tard, c'était une femme mûre. Cinquante-quatre ans plus tard, elle *disparut* brusquement du tableau.

– Elle était morte, Grand-mère ?

– Sait-on jamais ? Il se passe de si mystérieux événements dans le monde des sorcières...

– Qu'est-il arrivé au troisième enfant, grand-mère ?

– La troisième s'appelait Birgit Svenson. Elle vivait en face de ma maison. Un jour, des plumes se sont mis à lui pousser sur le corps. En un mois, elle était devenue une grosse poule blanche. Et bientôt, elle se mit à pondre des œufs ! Pendant des années, ses parents la gardèrent dans un enclos, au milieu du jardin

– Ils étaient comment ces œufs, Grand-mère ?

– C'étaient les plus gros œufs bruns que j'aie jamais vus. Sa mère en faisait de délicieuses omelettes.

Je regardai Grand-mère, qui ressemblait à une vieille reine assise sur son trône. Ses yeux gris paraissaient fixer un point, au loin. Seul son cigare semblait réel, et des nuages de fumée bleue tournoyaient autour de sa tête.

– Mais la petite fille qui s'est changée en poule, a-t-elle disparu ? demandai-je.

– Non, répondit Grand-mère. Pas Birgit. Elle a vécu ce que vivent les poules, quelques années, en pondant toujours des œufs bruns.

– Tu m'avais dit que tous les enfants avaient *disparu*...

– Je me suis trompée, répliqua Grand-mère. Je suis vieille et je perds la mémoire.

– Qu'est-il arrivé au quatrième enfant, Grand-mère ?

– Le quatrième était un garçon nommé Harald. Un matin, il se réveilla avec la peau toute jaune, dure et craquelée, comme une vieille noix. Et, le soir, il s'était changé en pierre.

– En pierre ? répétai-je, étonné.

– En granit ! dit Grand-mère. Je t'emmènerai le voir, si tu veux. Ses parents le gardent toujours à la maison. Harald est une petite statue qu'on a placée dans le vestibule. Les visiteurs accrochent leur parapluie à son bras !

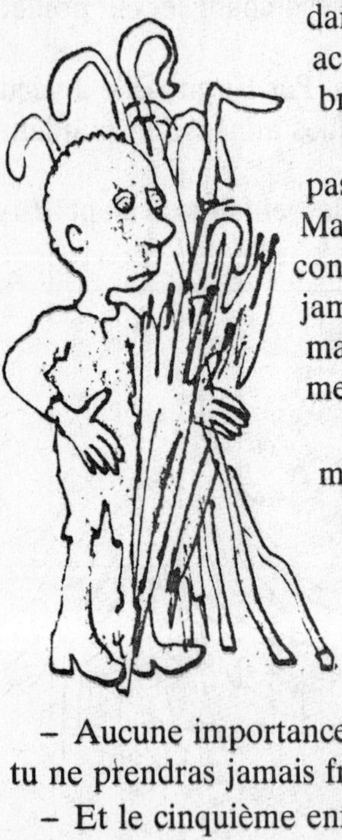

Bien que très jeune, je n'étais pas prêt à gober n'importe quoi ! Mais Grand-mère parlait avec conviction, sérieusement, sans jamais sourire, sans un éclair de malice dans ses yeux. Aussi, commençai-je à être ébranlé.

– Continue, Grand-mère. Tu m'as dit qu'ils étaient cinq. Qu'est-il arrivé au dernier ?

– Veux-tu tirer une bouffée de mon cigare ?

– Je n'ai que sept ans, Grand-mère.

– Aucune importance, dit-elle. Si tu fumes le cigare, tu ne prendras jamais froid.

– Et le cinquième enfant ? répétai-je.

– Le cinquième... marmonna-t-elle, en mâchonnant le bout de son cigare, comme si elle grignotait une délicieuse asperge. Ce fut un cas très intéressant. Un enfant de neuf ans, nommé Leif, passait ses grandes vacances avec toute sa famille, dans un fjord. Après avoir pique-niqué, ses parents se mirent à nager entre les rochers, et le jeune Lief plongea. Son père, qui l'observait, remarqua qu'il restait sous l'eau plus longtemps que d'habitude. Quand, enfin, il revint à la surface, Lief était devenu un marsouin.

– Non, ce n'est pas vrai ! m'écriai-je.

– C'était un ravissant petit marsouin, extrêmement amical.

– Il a été transformé en marsouin ? dis-je.

– Absolument, répondit Grand-mère. Je connaissais bien sa mère. Elle me raconta que Lief, le marsouin,

resta tout l'après-midi avec sa famille, et qu'il promena ses sœurs et ses frères à cheval sur son dos. Ce fut un merveilleux moment. Puis Lief fit au revoir en agitant la nageoire, et s'éloigna. On ne l'a plus jamais revu.

– Mais comment sa famille savait-elle que le marsouin était Lief ?

– Parce qu'il parlait, répondit Grand-mère. Il riait et plaisantait avec eux tout le temps.

– Ça a dû faire un drame dans la famille…

– Pas vraiment, dit Grand-mère. Rappelle-toi que nous avons l'habitude de ce genre d'événement, en Norvège. Les sorcières sont parmi nous. Il y en a probablement une dans la rue, en ce moment. C'est l'heure d'aller au lit.

– Une sorcière pourrait-elle entrer dans ma chambre par la fenêtre ? demandai-je, frissonnant un peu.

– Non, répondit Grand-mère. Une sorcière ne fera jamais des choses aussi stupides que de grimper le long des gouttières et pénétrer chez les gens par effraction. Tu seras en sécurité dans ton lit. Allons, viens, je vais te border.

Comment reconnaître une sorcière ?

Le lendemain soir, après mon bain, Grand-mère m'emmena dans la salle de séjour pour me raconter la suite.

– Aujourd'hui, commença Grand-mère, je vais t'apprendre les détails qui permettent de reconnaître une sorcière.

– A coup sûr ? demandai-je.

– Pas vraiment, répondit-elle. C'est bien là le problème. Mais cela pourra t'être utile.

Elle laissa tomber les cendres de son cigare sur sa robe, et j'espérai qu'elle ne prendrait pas feu avant de m'avoir fait ses révélations.

– D'abord, dit-elle, une sorcière porte des gants.

– Pas toujours, dis-je. Pas en été, lorsqu'il fait chaud.

– Même en été, dit Grand-mère. Elle *doit* porter des gants. Veux-tu savoir pourquoi ?

– Bien sûr, répondis-je.

– Parce qu'une sorcière n'a pas d'ongles. Elle a des griffes, comme un chat, et elle porte des gants pour les cacher. Remarque que beaucoup de femmes portent des gants, surtout en hiver. Donc, ce détail est insuffisant.

– Maman portait des gants, dis-je.

– Pas à la maison, dit Grand-mère. Les sorcières portent des gants, même chez elles. Elles ne les enlèvent que pour aller dormir.

– Comment sais-tu tout ça, Grand-mère ?

– Ne m'interromps pas sans cesse, dit-elle. Écoute-moi jusqu'au bout. Ensuite une sorcière est toujours chauve.

– *Chauve !* m'exclamai-je.

– Chauve comme un œuf, poursuivit Grand-mère.

Quel choc ! Une femme chauve, cela ne court pas les rues !

– Pourquoi sont-elles chauves, Grand-mère ?

– Ne me demande pas pourquoi, répliqua-t-elle. Mais tu peux me croire. Aucun cheveu ne pousse sur la tête d'une sorcière.

– C'est horrible !

– Répugnant ! dit Grand-mère.

– Si les sorcières sont chauves, dis-je, il est facile de les démasquer.

– Pas du tout, répliqua Grand-mère. Une sorcière porte toujours une perruque, une perruque de première qualité. Il est à peu près impossible de distinguer sa perruque de véritables cheveux. A moins de lui tirer les cheveux !

– C'est ce que je ferai !

– Ne sois pas idiot, dit Grand-mère. Tu ne peux pas tirer les cheveux de toutes les femmes que tu rencontres, même si elles portent des gants ! Essaie, et tu verras ce qui t'arrivera.

– Alors, ce que tu m'apprends ne peut pas me servir, dis-je.

– Aucun de ces détails n'est suffisant, dit Grand-mère. Mais si tu remarques ces deux détails réunis chez la même femme, c'est sûrement une sorcière. Remarque

que le port de cette perruque pose un sérieux problème.

– Quel problème ? demandai-je.

– Une irritation de la peau, répondit-elle. Si une actrice porte une perruque, elle la met sur ses cheveux, comme toi ou moi. Mais une sorcière pose directement sa perruque sur son cuir chevelu. Le dessous d'une perruque est toujours rugueux. Ce qui donne une affreuse démangeaison. Les sorcières appellent cela la *gratouille* de la perruque. Et il ne s'agit pas d'une mince *gratouillette.*

– Y a-t-il d'autres trucs pour reconnaître une sorcière ?

– Oui, répondit Grand-mère. Observe les narines. Les sorcières ont des narines plus larges que la plupart des gens. Le bord de leurs narines est rose et recourbé, comme celui d'une coquille Saint-Jacques.

– Pourquoi ont-elles de si larges narines ? demandai-je.

– Pour mieux sentir, répondit Grand-mère. Une sorcière a un flair stupéfiant. Elle peut flairer un enfant qui se trouve de l'autre côté de la rue, en pleine nuit.

– Elle ne pourrait pas me sentir, dis-je. Je viens de prendre un bain !

– Détrompe-toi ! s'écria Grand-mère. Un enfant propre sent horriblement mauvais pour une sorcière. Plus tu es sale, moins elle te sent.

– C'est absurde...

– Mais pourtant vrai, dit Grand-mère. Ce n'est pas la *saleté* que sent la sorcière, mais la *propreté* ! L'odeur de la peau d'un enfant dégoûte la sorcière. Cette odeur suinte par vagues. Ces *vagues puantes*, comme disent les sorcières, flottent dans l'air et viennent frapper leurs narines comme une gifle, ce qui les fait tituber !

– Ecoute-moi, Grand-mère...
– Ne m'interromps pas, dit-elle. C'est ainsi. Si tu ne t'es pas lavé pendant une semaine, ta peau est sale. Alors, évidemment, les vagues puantes ne suintent pas avec autant de force.
– Je ne prendrai plus de bains, décidai-je, aussitôt.
– N'en prends pas trop souvent, dit Grand-mère. Un bain par mois, c'est bien suffisant pour un enfant.
C'est à ces moments-là que j'aimais le plus Grand-mère.
– Grand-mère, dis-je. S'il fait nuit noire, comment une sorcière sent-elle la différence entre une grande personne et un enfant ?
– Parce que la peau des adultes ne sent pas mauvais, répondit-elle. Seulement, la peau des enfants.
– Mais moi, est-ce que j'empeste ?
– Pas pour moi, répondit Grand-mère. Pour moi, tu sens la fraise à la crème. Mais pour une sorcière, ton odeur est dégoûtante.
– Qu'est-ce que je sens ? demandai-je.
– Le caca de chien, répondit Grand-mère.
– *Le caca de chien !* criai-je, complètement abasourdi. Mais ce n'est pas vrai !
– Il y a pire, ajouta Grand-mère avec une pointe de malice. Pour une sorcière, *tu sens le caca de chien tout fumant !*
– C'est archifaux ! m'écriai-je. Je ne sens pas le caca de chien, fumant ou non !
– C'est un fait, dit Grand-mère. Inutile d'en discuter.
J'étais révolté. Je n'arrivais pas à croire ce que venait d'affirmer Grand-mère.
– Si tu vois une femme se boucher le nez en te croisant dans la rue, ajouta-t-elle, c'est sûrement une sorcière.

– Dis-moi vite un autre détail pour repérer une sorcière, demandai-je, voulant changer de sujet.

– Les yeux, dit Grand-mère. Observe bien les yeux. Les yeux d'une sorcière sont différents des tiens ou des miens. Regarde bien la pupille toujours noire chez les gens. La pupille d'une sorcière sera colorée et tu y verras danser des flammes et des glaçons ! De quoi te donner des frissons !

Grand-mère, satisfaite, s'enfonça dans son fauteuil, et rejeta une bouffée de son cigare qui empestait. Moi, j'étais assis à ses pieds, la regardant, fasciné. Elle ne souriait pas, elle avait l'air très sérieuse.

– Y a-t-il d'autres détails ? demandai-je.

– Oui, bien sûr, dit Grand-mère. Tu ne sembles pas très bien comprendre que les sorcières ne sont pas de vraies femmes ! Elles ressemblent à des femmes. Elles parlent comme des femmes. Elles agissent comme des femmes. Mais ce ne sont pas des femmes ! En réalité, ce sont des créatures d'une autre espèce, ce sont des démons déguisés en femmes. Voilà pourquoi elles ont des griffes, des crânes chauves, des grandes narines et des yeux de glace et de feu. Elles doivent cacher tout cela, pour se faire passer pour des femmes.

– Y a-t-il d'autres trucs pour les démasquer, Grand-mère ? répétai-je.

– Les pieds, dit-elle. Elles n'ont pas d'orteils.

– Pas d'orteils ! m'écriai-je. Mais qu'est-ce qu'elles ont à la place ?

– Rien, répondit Grand-mère. Elles ont des pieds au bout carré, sans orteils.

– Marchent-elles avec difficulté ? demandai-je.

– Un peu, répondit Grand-mère. Elles ont quelques problèmes avec les chaussures. Toutes les femmes aiment porter de petits souliers pointus, mais une sorcière, dont les pieds sont très larges et carrés, éprouve un véritable calvaire pour se chausser.

– Pourquoi ne portent-elles pas des souliers confortables au bout carré ?

– Elles n'osent pas, répondit Grand-mère. De même qu'elles cachent leur calvitie sous des perruques, les sorcières cachent leurs pieds carrés dans de jolies chaussures pointues.

– Ce doit être terriblement inconfortable, dis-je.

– Extrêmement inconfortable, dit Grand-mère. Mais elles les portent quand même.

– Donc, ce détail-là ne m'aidera pas à reconnaître une sorcière ? dis-je.

– En effet ! soupira Grand-mère. Tu peux, si tu es très attentif, reconnaître une sorcière, parce qu'elle boite légèrement.

– Est-ce qu'il y a d'autres détails, Grand-mère ?

– Oui, il y a un détail de plus, répondit Grand-mère. Un dernier détail. La salive d'une sorcière est bleue.

– Bleue ! m'écriai-je. C'est impossible ! Aucune salive n'est bleue.

– Bleu myrtille ! précisa-t-elle.

– C'est absurde, Grand-mère. Aucune femme n'a la salive bleu myrtille !

– Si, les sorcières ! répliqua-t-elle.

– Bleue comme de l'encre ? demandai-je.

– Exactement, dit-elle. Elles utilisent des porte-plume et elles n'ont qu'à lécher la plume pour écrire !

– Si une sorcière me parlait, je pourrais voir cette salive bleue, Grand-mère, oui ou non ?

– Seulement si tu regardes attentivement, répondit-elle. Très attentivement. Tu pourrais voir un peu de bleu sur leurs dents. Mais cela ne se voit presque pas.

– Et si elle crache ? demandai-je.

– Les sorcières ne crachent jamais, répondit Grand-mère. Elles n'osent pas.

Je ne pouvais pas croire que Grand-mère était en train de me raconter des bobards. Elle allait à la messe tous les matins, et récitait le bénédicité avant chaque repas. Une personne si chrétienne ne ment jamais. Je finissais par croire tout ce qu'elle m'avait appris, mot pour mot.

– Voilà, dit Grand-mère. C'est tout ce que je peux te donner comme renseignements sur les sorcières. Cela t'aidera un peu. On ne peut jamais être absolument sûr qu'une femme n'est pas une sorcière, juste au premier coup d'œil. Mais si une femme porte des gants et une perruque, si elle a de grandes narines et des yeux de glace et de feu, et si ses dents sont légèrement teintées de bleu… alors, file à l'autre bout du monde !

– Grand-mère, quand tu étais petite, as-tu rencontré une sorcière ?

– Une fois, dit Grand-mère. Rien qu'une fois.

– Et qu'est-il arrivé ?

– Je ne veux pas te le dire, répondit Grand-mère. Cela t'effraierait et te donnerait des cauchemars.

– S'il te plaît, raconte-moi, priai-je.

– Non, dit-elle. Certaines choses sont trop horribles pour être racontées.

– Est-ce que cela a un rapport avec le pouce qui te manque ? demandai-je.

Soudain, les vieilles lèvres ridées se fermèrent comme des tenailles. La main qui tenait le cigare (celle qui n'avait plus de pouce) se mit à trembler.

J'attendais. Elle ne me regardait plus. Elle ne me parlait plus. Elle s'était refermée comme un escargot dans sa coquille. La conversation était finie.

– Bonne nuit, Grand-mère, dis-je, en me redressant et en l'embrassant sur la joue.

Elle ne bougea pas.

Je quittai la pièce en catimini, et je partis me coucher.

La Grandissime Sorcière

Le lendemain, un homme vêtu de noir, une serviette de cuir à la main, se pésenta chez Grand-mère. Il eut une longue conversation avec elle, dans la salle à manger. Je n'eus pas le droit d'entrer, mais, après le départ de l'homme, Grand-mère s'approcha lentement de moi, l'air attristé.

– Le notaire m'a lu le testament de ton père, dit-elle.

– Qu'est-ce qu'un testament ? demandai-je

– C'est un document sur lequel on écrit qui va hériter de l'argent ou des biens que l'on possède, après sa mort. Mais surtout, si l'on a un enfant, le testament indique la personne qui va s'en occuper, après la mort des deux parents.

– C'est bien toi qui vas t'occuper de moi ? m'écriai-je, pris de panique. Pas quelqu'un d'autre ?

– Non, dit Grand-mère. Ton père n'aurait jamais voulu ça. Sur le testament, il me demande de veiller sur toi tant que je vivrai. Mais il ajoute qu'il faut que je te ramène chez toi, en Angleterre.

– Pourquoi ne pas rester en Norvège ? demandai-je. Tu m'as dit que tu ne pourrais pas vivre ailleurs !

– Je sais, fit-elle. Mais il y a des problèmes compliqués d'argent et de maison, que tu aurais du mal à comprendre. Toute ta famille est norvégienne, mais tu es né en Angleterre, tu y as commencé tes études, et ton père veut que tu les continues là-bas.

– Oh, Grand-mère ! m'écriai-je. Je sais que tu n'as pas du tout envie d'aller vivre en Angleterre.

– Non, bien sûr, mais il le faut, dit Grand-mère. Le testament précise que ta mère le désire aussi, et je dois respecter les dernières volontés de tes parents. Il n'y a rien d'autre à faire. La rentrée du second trimestre commence dans quelques jours. Donc, pas de temps à perdre, pour préparer nos valises.

La veille de notre départ, Grand-mère reprit son sujet favori, les sorcières.

– Il n'y a pas autant de sorcières en Angleterre qu'en Norvège.

– Avec tout ce que tu m'as appris, dis-je, je saurai les éviter.

– Je l'espère, soupira Grand-mère. Car les sorcières anglaises sont les plus méchantes du monde.

Tandis qu'elle fumait son cigare nauséabond, je regardais la main au pouce manquant. Je ne pouvais pas m'en empêcher. Cela me fascinait. Je me demandais quelle horrible chose était arrivée lorsque Grand-mère, petite fille, avait rencontré une sorcière. Cela avait dû être absolument épouvantable, sinon elle me l'aurait raconté. J'essayais de deviner... Lui avait-on dévissé le pouce ? Avait-elle été obligée de le fourrer dans le bec d'une bouilloire ? Ou lui avait-on arraché le pouce comme on arrache une dent ?

– Dis-moi, Grand-mère, pourquoi ces sorcières anglaises sont-elles les plus méchantes au monde ? demandai-je.

– Eh bien, fit-elle, en rejetant une bouffée de son

affreux cigare. Leur tour favori est de préparer des poudres pour changer les enfants... en animaux dégoûtants !

– En quoi, par exemple ?

– En limaces ! Les grandes personnes détestent les limaces, alors, elles les écrasent, sans savoir qu'il s'agit de leurs enfants.

– Mais c'est horrible ! m'écriai-je.

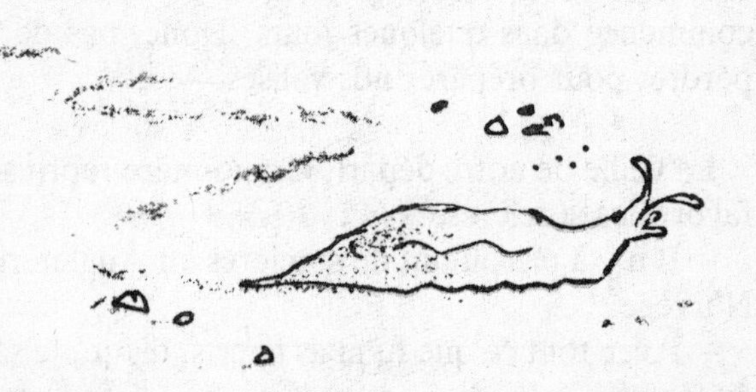

– Parfois, elles les changent en puces, continua Grand-mère. Et les mères, sans savoir ce qu'elles font, bombardent leurs enfants d'insecticide, et adieu !

– Tu m'inquiètes, Grand-mère. Je ne veux pas retourner en Angleterre.

– J'ai connu des sorcières anglaises, poursuivit-elle, qui transformaient des enfants en faisans. Le jour de l'ouverture de la chasse, elles libéraient les faisans dans les forêts.

– Ouille ! Et les faisans se faisaient tuer ?

– Évidemment, affirma Grand-mère. Ensuite, on les plumait, on les tournait à la broche, et l'on s'en régalait au dîner.

Je m'imaginais, transformé en faisan, volant, fuyant désespérément les chasseurs, plongeant, tournant, évitant les balles qui explosaient autour de moi.

– Oui, continua Grand-mère. Les sorcières anglaises adorent regarder les grandes personnes se débarrasser de leurs propres enfants !

– Mais je ne veux plus aller en Angleterre, Grand-mère !

– Je te comprends, mon petit. Mais il faut respecter les dernières volontés de tes parents.

– Est-ce que les sorcières sont différentes d'un pays à l'autre ?

– Complètement différentes, répondit Grand-mère. Mais je ne connais pas bien ce qui se passe dans certains pays.

– Connais-tu les sorcières d'Amérique ? demandai-je.

– Pas vraiment, répondit-elle. Mais on raconte que, là-bas, les sorcières américaines arrivent à faire manger leurs bébés aux parents !

– Oh, c'est incroyable ! m'exclamai-je.

– C'est un bruit qui court, dit-elle.

– Comment peuvent-elles y arriver ? demandai-je.

– En transformant les bébés en hot dogs, répondit Grand-mère. Ce n'est pas bien difficile, pour une sorcière !

– Est-ce que chaque pays a des sorcières ?

– Oui, dit Grand-mère. Là où il y a des gens, il y a des sorcières. Il existe même une Société Secrète de Sorcières dans chaque pays !

– Et elles se connaissent toutes ?

– Non, dit Grand-mère. Une sorcière ne connaît que les sorcières de son pays. Il lui est interdit de communiquer avec l'étranger. Mais toutes les sorcières d'Angleterre se connaissent bien et sont amies. Elles se téléphonent, échangent des recettes abominables. Dieu sait de quoi elles peuvent parler ! Cela me rend malade d'y penser !

Assis par terre, je regardais Grand-mère. Elle écrasa son mégot dans le cendrier, et plia les mains sur son ventre.

– Une fois par an, reprit-elle, les sorcières de tous les pays se réunissent en secret, pour écouter la conférence de la plus grande sorcière du monde, la Grandissime Sorcière.

– La Grandissime Sorcière ? répétai-je, étonné.

– C'est leur chef, répondit Grand-mère. La Grandissime Sorcière est toute-puissante et sans pitié. Toutes les sorcières sont paralysées de peur, en face d'elle. Elles ne voient la Grandissime Sorcière qu'une fois par an au cours de cette conférence, qui doit déclencher l'enthousiasme et raviver les ardeurs. La Grandissime Sorcière voyage de pays en pays pour donner des consignes partout.

– Où se réunissent-elles, Grand-mère ?

– Il court toutes sortes de bruits, répondit Grand-mère. On raconte qu'elles louent des chambres dans des hôtels modernes, possédant des salles de conférence, comme n'importe quelle association de femmes. Il paraît qu'il se passe de drôles de choses dans ces hôtels. Les lits ne sont jamais défaits, il y a des traces de brûlures sur les tapis, des crapauds dans les baignoires... et, un jour, un cuisinier trouva un bébé crocodile qui nageait dans sa soupe !

Grand-mère tira une autre bouffée de son cigare, et aspira profondément.

– Où habite la Grandissime Sorcière ? demandai-je.

– Personne ne le sait, répondit Grand-mère. Sinon, on pourrait facilement la détruire. Des sorcièrologues du monde entier ont passé leur vie à essayer de découvrir son Quartier Général.

– Qu'est-ce qu'un sorcièrologue ?

– Une personne qui étudie les sorcières, répondit Grand-mère.

– Es-tu sorcièrologue, toi-même, Grand-mère ?

– Oui, mon petit, mais en retraite. Je suis beaucoup trop vieille pour continuer la tâche. Mais, dans ma jeunesse, j'ai parcouru le monde pour dénicher la Grandissime Sorcière… Je n'ai jamais réussi.

– Est-elle riche ? demandai-je.

– La Grandissime Sorcière roule sur l'or, répondit Grand-mère. Il paraît qu'elle a une imprimerie clandestine qui fabrique des billets de banque. Après tout, les billets ne sont que des bouts de papier avec des dessins. Si l'on a l'imprimerie et le papier, on peut, tout comme les banques d'État, fabriquer de faux billets aussi vrais que les vrais ! A mon avis, la Grandissime Sorcière doit fabriquer tous les billets qu'elle veut, et les distribuer aux sorcières.

– Même des billets étrangers ? demandai-je.

– Cette imprimerie peut fabriquer des billets chinois, si la Grandissime Sorcière le veut bien. Il lui suffit d'appuyer sur le bon bouton.

– Mais... dis-je, puisque personne n'a jamais vu cette Grandissime Sorcière, comment peux-tu être sûre qu'elle existe ?

– Personne n'a vu le Diable, dit Grand-mère en me regardant sévèrement. Pourtant, nous savons bien qu'il existe !

Le lendemain, nous prenions un bateau à destination de l'Angleterre. Bientôt, je me retrouvai dans notre vieille maison familiale du Kent, seul avec Grand-mère. Puis le second trimestre commença. J'allais à l'école et tout me semblait redevenu normal.

Au fond du jardin, il y avait un énorme marronnier. Timmy (mon meilleur ami) et moi, nous avions commencé à construire une magnifique cabane dans les branches. Nous ne travaillions que les week-ends, mais tout avançait à merveille. D'abord, nous avions fabriqué le plancher, en clouant de larges planches sur deux branches. En un mois, le plancher était terminé. Puis nous avions construit une balustrade en bois, et il ne

nous restait plus qu'à faire le toit. C'était le plus difficile.

Un samedi après-midi, alors que Timmy avait la grippe, je décidai d'attaquer le toit, moi tout seul. J'adorais être dans le marronnier, entouré de feuillage, comme si je me trouvais dans une grotte verte. La hauteur ajoutait du piquant. Grand-mère m'avait averti que je risquais de tomber et de me casser la jambe. Quand je jetais un coup d'œil en bas, un frisson de vertige me parcourait l'échine.

Je clouais la première planche du toit, lorsque, soudain, du coin de l'œil, j'aperçus une femme, dans le jardin. Elle me souriait de façon bizarre. Quand les gens sourient, leurs lèvres s'étirent de chaque côté. Les lèvres de cette femme s'étiraient en hauteur, découvrant ses dents de devant et des gencives rouges comme de la viande crue.

C'est toujours agaçant de se rendre compte qu'on est observé, lorsqu'on se croit seul.

Et puis, que fabriquait cette inconnue dans notre jardin ?

Je remarquai qu'elle portait un petit chapeau noir, et que ses gants noirs lui remontaient jusqu'aux coudes.

Des gants ! Elle portait des gants !

Mon sang se glaça.

– Je t'apporte un cadeau, dit l'étrange inconnue, en me souriant toujours.

Je ne dis rien.

– Descends de cet arbre, petit garçon, continua-t-elle, et je te donnerai un cadeau extraordinaire.

Elle avait une voix de crécelle, comme si sa gorge était tapissée de punaises.

Toujours souriant affreusement, la femme introduisit lentement sa main gantée dans son sac, et en sortit un

petit serpent vert et scintillant qu'elle tendit dans ma direction.

– Il est apprivoisé, dit-elle.

Le serpent s'enroula autour de son bras.

– Si tu descends, je te le donne, poursuivit-elle.

« Au secours, Grand-mère ! » pensai-je.

Pris de panique, je laissai tomber le marteau, et grimpai dans le marronnier comme un singe. Arrivé au sommet, je grelottais de peur. Je ne voyais plus la femme. Le feuillage me cachait d'elle.

Je restai perché là-haut, immobile, pendant des heures, jusqu'à la tombée de la nuit. Enfin, j'entendis Grand-mère m'appeler.

– J'arrive ! hurlai-je.

– Viens tout de suite ! cria-t-elle. Il est déjà neuf heures !

– Grand-mère ! Est-ce que la femme est partie ?

– Quelle femme ? répliqua Grand-mère.

– La femme aux gants noirs !

Il y eut un grand silence. Grand-mère n'arrivait plus à parler, comme si elle avait reçu un choc.

– Grand-mère, où es-tu ? hurlai-je, affolé. Est-elle partie, la femme aux gants noirs ?

– Oui, cette femme est partie, répondit enfin Grand-mère. Je suis là et je te protège. Tu peux descendre.

Je descendis de mon marronnier en tremblant. Grand-mère me prit dans ses bras.

– J'ai vu une sorcière, dis-je.

– Entre, fit-elle. Tu seras en sécurité avec moi, à la maison.

Elle me prépara un bon chocolat chaud et bien sucré.

– Raconte-moi tout, dit-elle.

A la fin de mon histoire, Grand-mère frissonnait. Sa figure était couleur de cendre, et je la vis jeter un coup d'œil sur sa main sans pouce.

– Tu sais ce que cela signifie, dit-elle. Il y a une sorcière dans notre quartier. Désormais, je t'accompagnerai à l'école.

– Crois-tu qu'elle m'en veuille spécialement ? demandai-je.

– Non, je ne crois pas, répondit Grand-mère.

Après cette mésaventure, je devins un garçon très méfiant. Si je me promenais seul dans la rue, et qu'une femme portant des gants s'approchait de moi, je changeais aussitôt de trottoir ! Et comme il fit très froid durant tout le mois, presque tout le monde portait des gants ! Fort curieusement, je ne revis plus jamais la femme aux gants noirs et au serpent vert.

Ce fut ma première sorcière. Mais pas ma dernière...

Les grandes vacances

Après les vacances de Pâques, le dernier trimestre commença. Grand-mère et moi, nous avions décidé de passer les grandes vacances en Norvège. Nous en parlions tous les jours. Grand-mère avait loué deux cabines sur le premier bateau partant pour Oslo. Puis d'Oslo, elle m'emmènerait sur la côte sud, près d'Arendal. Elle connaissait très bien le coin car elle y avait passé ses vacances, dans son enfance, quatre-vingts ans auparavant.

– Mon frère et moi, nous passions toute la journée en canoë. Nous explorions les nombreuses petites îles inhabitées d'un fjord. Nous plongions du haut des rochers de granit. Parfois, nous jetions l'ancre, et nous pêchions morues et merlans. Si la pêche était bonne, nous allumions un feu sur une île, et nous faisions griller le poisson à la poêle. Le meilleur poisson du monde, mon petit, c'est la morue fraîche.

– Vous pêchiez avec quel appât, Grand-mère ?

– Des moules ! Les Norvégiens utilisent des moules

comme appât. Si nous ne pêchions aucun poisson, nous faisions bouillir les moules, et nous les mangions.

– C'était bon ?

– Excellent. Les moules étaient tendres et salées car nous les faisions bouillir dans l'eau de mer.

– Et que faisiez-vous d'autre, Grand-mère ?

– Souvent, nous faisions des signes aux bateaux de pêche. Les pêcheurs s'arrêtaient et nous donnaient une poignée de crevettes. Les crevettes étaient encore chaudes, car elles venaient d'être cuites. Nous les décortiquions et nous les mangions goulûment, assis dans le canoë. La tête était le meilleur morceau !

– La tête !?

– On aspire l'intérieur de la tête, c'est délicieux. Toi et moi, nous ferons tout cela, cet été, mon petit.

– Comme il me tarde de partir, Grand-mère...

– Et moi donc...

Il ne restait plus que trois semaines d'école lorsqu'un événement épouvantable arriva. Grand-mère attrapa une pneumonie. Elle était très malade, une infirmière vint habiter la maison pour la soigner, le médecin m'avait interdit la chambre de Grand-mère.

– De nos jours, m'expliqua le médecin, la pneumonie n'est pas une maladie mortelle. Grâce à la pénicilline. Mais pour quelqu'un qui a plus de quatre-vingts ans, comme ta Grand-mère, cela peut être dangereux. Je n'ose pas la faire transporter à l'hôpital, dans son état. Aussi, qu'elle garde le lit !

Je demeurai sur le seuil de la porte tandis que Grand-mère était reliée à des ballons d'oxygène et à d'autres appareils effrayants.

– Je peux la voir ? demandai-je.

– Non, mon petit, répondit l'infirmière. Pas pour le moment.

Madame Spring, une femme grassouillette et joviale, qui venait faire le ménage tous les jours, s'installa chez nous. Elle s'occupait de moi et me préparait les repas. Je l'aimais beaucoup, mais elle racontait les histoires moins bien que Grand-mère.

Dix jours plus tard, un soir, le médecin descendit l'escalier et m'annonça :

– Tu peux entrer dans sa chambre et lui parler quelques minutes. Elle te réclame.

Je grimpai les marches quatre à quatre, me précipitai dans la chambre de Grand-mère et me jetai dans ses bras.

– Oh là ! s'écria l'infirmière. Doucement avec la malade !

– Le pire est passé, répondit-elle. Je serai bientôt sur pied.

– C'est vrai ? demandai-je à l'infirmière.

– Oui, répondit l'infirmière en souriant. Elle m'a dit qu'il lui fallait absolument aller mieux pour s'occuper de toi.

J'embrassai encore Grand-mère.

– On m'a interdit de fumer le cigare, dit-elle. Mais attends un peu qu'ils soient partis...

– Ta Grand-mère est une force de la nature, dit l'infirmière. Elle sera debout dans une semaine.

L'infirmière avait raison. Au bout d'une semaine, Grand-mère marchait dans la maison avec sa canne à pommeau d'or, et elle se disputait déjà avec Mme Spring au sujet de la cuisine.

– Je vous remercie de votre aide, dit Grand-mère, mais vous pouvez retourner chez vous.

– Non ! rétorqua Mme Spring. Le médecin m'a dit que vous deviez vous reposer encore quelques jours.

Le médecin fut plus sévère. Il annonça une nouvelle qui fut une véritable bombe :

– Il ne faut pas compter sur le voyage en Norvège, cet été. C'est trop loin, et c'est trop risqué.

– Sornettes ! s'écria Grand-mère. Je l'ai promis à mon petit-fils.

– Je vais vous donner un conseil, reprit le médecin. Allez tous les deux dans un gentil hôtel, sur la côte sud de l'Angleterre. L'air marin vous fera du bien.

– Oh, non ! fis-je, déçu.

– Veux-tu que ta grand-mère meure ? me demanda le médecin.

– Non !

– Alors, il ne faut pas qu'elle fasse ce long voyage. Elle n'est pas assez forte. Et dis-lui d'arrêter de fumer ces affreux cigares !

Finalement, Grand-mère céda sur le voyage en Norvège mais pas sur les cigares. On loua deux chambres à l'hôtel Magnificent de Bournemouth, une célèbre station balnéaire.

– Bournemouth est plein de vieilles personnes comme moi, dit Grand-mère. L'air y est sain et tonique. Elles en espèrent des miracles.

– C'est vrai ? demandai-je.

– Bien sûr que non, répondit-elle. Ce sont des balivernes. Mais pour une fois, il faut obéir au médecin.

Bientôt, Grand-mère et moi, nous prîmes le train pour Bournemouth et nous descendîmes à l'hôtel Magnificent. C'était un énorme bâtiment blanc situé en face de la mer.

« Un endroit bien ennuyeux pour passer des vacances », pensai-je.

Ma chambre communiquait avec celle de Grand-mère. Aussi nous rendions-nous visite sans passer par le couloir.

Avant de partir, Grand-mère m'avait offert, en guise de consolation, deux souris blanches en cage. Bien sûr, je les avais emmenées en vacances avec moi. Drôlement rigolotes, ces souris. Je les appelais William et Mary. Et à l'hôtel, je comptais leur apprendre des tours.

Dès le premier jour, elles grimpaient déjà le long de la manche de ma veste jusqu'à mon cou, puis de mon cou jusqu'au sommet de mon crâne. Je réussis cet exploit en mettant des miettes de gâteau dans mes cheveux !

Le lendemain de notre arrivée, la femme de chambre faisait mon lit lorsque le museau d'une souris pointa sous les couvertures. La femme de chambre poussa un tel hurlement qu'une douzaine de personnes accoururent pour voir qui avait été assassiné. L'incident fut rapporté au directeur. Grand-mère et moi, nous fûmes convoqués dans son bureau.

Le directeur, M. Stringer, avait les cheveux en brosse et portait un habit à queue.

– Madame, les souris sont interdites dans cet hôtel, dit-il à Grand-mère.

– Comment osez-vous nous dire cela, alors que votre hôtel grouille de rats ! s'écria Grand-mère.

– Des rats ! s'exclama M. Stringer devenu violet. Il n'y a pas de rats dans cet hôtel !

– J'en ai vu un ce matin même, continua Grand-mère. il courait dans le couloir en direction des cuisines.

– C'est faux ! cria M. Stringer.

– Vous feriez mieux d'appeler au plus vite une entreprise de dératisation, poursuivit Grand-mère. Sinon, j'écrirai au ministre de la Santé. J'imagine que les rats défilent dans la cuisine, trottinent sur les étagères pour grignoter la nourriture et dansent dans les soupières.

– Jamais de la vie ! protesta le directeur.

– Ce matin pourtant, le toast de mon petit déjeuner était grignoté sur les bords ! continua Grand-mère, impitoyable. Et pire, il avait un sale goût de rat ! Si vous ne faites pas attention, les fonctionnaires de la santé publique ordonneront la fermeture de votre hôtel avant que quelqu'un n'attrape la fièvre typhoïde !

– Vous ne parlez pas sérieusement, madame, dit le directeur.

– Je n'ai jamais parlé aussi sérieusement de ma vie, affirma Grand-mère. Allez-vous donc permettre à mon petit-fils de garder ses deux petites souris blanches dans sa chambre, oui ou non ?

Le directeur comprit qu'il avait perdu la partie.

– Puis-je suggérer un compromis ? dit-il. Je lui permets de garder ses deux souris dans sa chambre, à condition qu'elles restent dans leur cage. Qu'en pensez-vous ?

– Je suis d'accord, approuva Grand-mère.

Elle se leva et nous quittâmes le bureau.

Il n'y a pas moyen de dresser des souris qui sont enfermées dans une cage. Mais je n'osais pas leur ouvrir la porte parce que la femme de chambre m'espionnait sans arrêt. Elle avait une clef de la porte et surgissait à l'improviste toutes les heures, essayant de surprendre les souris en liberté. Elle me déclara qu'à la première infraction, le portier noierait les souris dans un baquet !

Il me fallait trouver un endroit pour continuer l'entraînement. Il devait y avoir sûrement une pièce vide dans ce gigantesque hôtel. Je mis les souris dans la poche de mon pantalon, et je me promenai au rez-de-chausée, à la recherche d'une cachette.

Le rez-de-chaussée était un véritable labyrinthe de salles destinées aux clients. Hall, fumoir, salle de jeux, bibliothèque, salon, tout était écrit sur les portes, en lettres dorées.Il y avait foule partout. Je poursuivis mon chemin et, au bout d'un long et large couloir, je tombai sur une porte à double battant. C'était la salle de bal. Devant, un panneau, sur lequel je lus :

RÉUNION SRPEP

SALLE RÉSERVÉE STRICTEMENT
POUR LE CONGRÈS ANNUEL
DE LA SOCIÉTÉ ROYALE
POUR LA PROTECTION DE L'ENFANCE PERSÉCUTÉE

La porte était ouverte. Je jetai un coup d'œil à l'intérieur. C'était une salle immense avec des rangées et des rangées de chaises en face d'une estrade. Les chaises étaient dorées, avec de petits coussins rouges. Mais il n'y avait pas un chat !

Je m'avançai avec précaution. Quel merveilleux endroit ! Le congrès de la Société Royale pour la Protection de l'Enfance Persécutée avait dû avoir lieu très tôt, le matin. Tous les congressistes étaient rentrés chez eux. Et même si je me trompais, si les congressistes surgissaient dans la salle, c'étaient sûrement des personnes adorables, qui accueilleraient avec chaleur un jeune dresseur de souris à la recherche d'un lieu d'entraînement.

A l'entrée de la salle, dans un coin, il y avait un grand paravent sur lequel étaient dessinés des dragons chinois. Désirant être tranquille pour dresser mes souris, je décidai de me cacher derrière. La Société Royale pour la Protection de l'Enfance Persécutée ne m'inquiétait pas. En revanche, je craignais l'intervention du directeur. S'il apercevait les souris, les pauvres malheureuses finiraient dans le baquet du portier avant que j'aie pu dire ouf !

J'avançai sur la pointe des pieds vers le coin de la salle et je m'installai sur l'épaisse moquette verte, derière le paravent. Un endroit idéal pour dresser les souris ! Je sortis William et Mary de mes poches. Elles s'assirent près de moi sur la moquette. Elles semblaient en pleine forme et très calmes.

Ce jour-là, je voulais leur apprendre à marcher sur une corde raide. Une souris intelligente peut facilement devenir funambule, si on sait s'y prendre. D'abord, il faut un bout de ficelle, je l'avais. Puis un bon gâteau. Les souris blanches préfèrent le gâteau à la groseille. Elles en raffolent. J'avais également apporté des biscuits aux raisins secs. Je les avais mis dans mes poches en prenant le thé avec Grand-mère.

Voici la manœuvre : Des deux mains, vous tirez sur les bouts de la ficelle. Il faut commencer par un petit bout d'environ cinq centimètres. Vous mettez la souris dans votre main droite et un bout de gâteau dans la gauche. La souris se trouve donc à cinq centimètres du gâteau. Elle le voit, le renifle. Ses moustaches s'agitent, palpitent. Elle pourrait presque atteindre le gâteau en se penchant... enfin, pas tout à fait. Pour atteindre le savoureux morceau, elle n'a qu'à faire deux pas le long de la ficelle. Elle pose une patte sur la ficelle, puis une autre. Si cette souris a un bon sens de l'équilibre, ce qui est le cas de la plupart des souris, elle traversera sans difficulté les cinq centimètres qui la séparent du gâteau.

Je commençai avec William. Il marcha sur la ficelle sans hésiter. Après quoi, je le laissai grignoter un bout de gâteau. Puis je le remis dans ma main droite.

Cette fois-ci, j'allongeai la ficelle : elle avait maintenant dix centimètres. William savait ce qu'il devait faire. Avec un superbe équilibre, il marcha pas à pas, le long de la ficelle, et atteignit le gâteau. En récompense, il put en grignoter un autre bout...

Bientôt, William pouvait marcher le long d'une ficelle de quarante centimètres. C'était merveilleux de l'observer. Lui-même s'amusait follement. Avec beaucoup de précautions, je tenais la ficelle près du sol. Ainsi, s'il perdait l'équilibre, il ne tomberait pas de haut. Mais il ne tombait jamais. De toute évidence, William était un acrobate né, un funambule extraordinairement doué.

Maintenant, c'était le tour de Mary. Je posai William sur la moquette, près de moi, et le récompensai avec quelques autres miettes et un biscuit à la groseille. Puis je recommençai le même jeu avec Mary.

Voyez-vous, ma grande ambition, mon rêve fou, c'était de tenir un cirque de souris blanches ! Lorsque les rideaux rouges s'ouvriraient sur la scène, le public

verrait mes souris dressées, célèbres dans le monde entier, des souris funambules, trapézistes, des souris faisant des triples sauts périlleux, bondissant sur un trampolin, et effectuant d'autres tours prodigieux. J'aurais des souris blanches qui chevaucheraient des rats blancs, et ces rats blancs feraient le tour de la piste à un galop d'enfer. Je me voyais déjà, voyageant en première classe à travers le monde entier, avec mon célèbre Cirque de Souris Blanches, et donnant des spectacles devant toutes les têtes couronnées d'Europe.

J'étais en plein dressage avec Mary lorsque, soudain, j'entendis des voix devant la porte. Le bruit allait en s'amplifiant, comme si beaucoup de personnes parlaient à la fois. Je reconnus, parmi les voix, celle de l'horrible directeur de l'hôtel.

« Au secours ! » pensai-je.

Heureusement, il y avait ce grand paravent.

Je me blottis derrière, et regardai par une fente. Je pouvais tout voir sans être vu.

– Par ici, mesdames, fit la voix du directeur. Vous serez tout à fait tranquilles.

Il franchit la porte à double battant, très digne dans son habit à queue, et faisant force gestes, comme s'il dirigeait un orchestre. Une foule de dames commença à entrer.

– Si je peux vous être utile, poursuivit le directeur, n'hésitez pas. Après votre congrès, un thé vous sera servi sur la terrasse *Sunshine*.

Sur ce, il s'inclina puis s'esquiva.

Alors, les congressistes de la Société Royale pour la Protection de l'Enfance Persécutée continuèrent à remplir la salle. C'étaient toutes des femmes, joliment habillées, et portant des chapeaux.

Les congressistes

Le directeur parti, je ne m'inquiétai pas trop. Être enfermé dans une salle remplie de jolies femmes ne me déplaisait pas ! Je pourrais même leur suggérer de venir protéger l'enfance dans mon école ! Elles auraient du travail...

Les congressistes continuaient à entrer dans la salle, et à en faire le tour pour choisir leurs places, en parlant avec animation.

– Assieds-toi près de moi, ma petite Millie !

– Bonjour, Béatrice ! Je ne t'avais pas vue depuis l'année dernière ! Quelle robe ravissante !

Je décidai de continuer l'entraînement de mes deux souris pendant la tenue du congrès. Mais j'observai encore un petit moment ces femmes à travers la fente du paravent, en attendant qu'elles s'installent. Combien étaient-elles ? Environ deux cents. Les sièges arrière furent occupés les premiers. On aurait dit qu'elles voulaient toutes se trouver le plus loin possible de l'estrade.

Au milieu de la dernière rangée, une femme portant un minuscule chapeau se grattait la tête. Ses doigts grattaient et regrattaient la peau de son cuir chevelu, au ras de sa nuque. Elle ne pouvait pas s'en empêcher. Elle aurait été bien gênée de savoir que je l'observais.

« Elle a sûrement des pellicules », pensai-je.

Et soudain, je remarquai que sa voisine faisait de même !

Et la voisine de sa voisine !

Et la voisine de la voisine de sa voisine !
Toutes se grattaient la nuque !
Avaient-elles des puces ?
Ou plutôt des poux ?

A l'école, le dernier trimestre, un élève nommé Ashton avait eu des poux. La directrice lui avait arrosé la tête d'essence térébenthine. Les poux y étaient restés,

mais Ashton avait failli y rester, lui aussi ! Il avait perdu la moitié de ses cheveux !

Le spectacle de toutes ces femmes se grattant la tête me fascinait de plus en plus. C'est toujours amusant de surprendre quelqu'un en train de faire un geste vulgaire. Par exemple, se mettre les doigts dans le nez, ou se gratter les fesses. Se gratter la tête est presque aussi dégoûtant si ça dure longtemps.

A mon avis, c'étaient des poux.

Alors, une chose stupéfiante se produisit. Je vis l'une de ces femmes glisser ses doigts sous ses cheveux et... *toute la chevelure se dressa ! Et sa main grattait de plus belle* !

Elle portait une perruque !

Elle portait des gants !

Je regardai vite les autres.

Toutes portaient des gants !

Mon sang se glaça, et je me mis à trembler.

Y avait-il une sortie de secours derrière moi ? Non, il n'y en avait pas. Et si je surgissais du paravent pour me précipiter vers la porte à double battant ? Non plus ! La porte était déjà fermée à double tour, une chaîne cadenassée bloquait les loquets, et une matrone montait la garde.

« Reste calme, me dis-je. Personne ne t'a vu. Il n'y a aucune raison pour qu'elles viennent voir ce qui se passe derrière ce paravent. Mais le moindre faux mouvement, le moindre toussotement, le moindre éternuement, le moindre bruit, et tu seras pris. Et pas par une sorcière, mais par deux cents ! »

C'était trop pour moi ! Je m'évanouis. Cela ne dura que quelques secondes, je crois. Quand je revins à moi, j'étais étendu sur le tapis, sain et sauf.

La salle était absolument silencieuse.

En tremblant, je me mis à genoux, et jetai à nouveau un coup d'œil par la fente du paravent.

Frrite comme oune frrite !

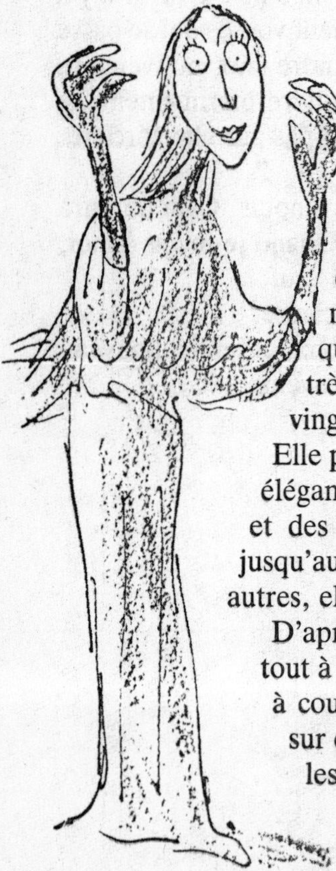

Toutes les femmes, ou plutôt toutes les sorcières, se figèrent soudain sur leurs sièges, les yeux hagards, hypnotisées. Une autre femme venait d'apparaître sur l'estrade.

D'abord, je remarquai la taille de cette créature. Elle était vraiment minuscule, pas plus haute que trois pommes ! Elle semblait très jeune, environ vingt-cinq ou vingt-six ans, et elle était très jolie. Elle portait une longue robe noire, très élégante, qui lui arrivait jusqu'aux pieds, et des gants noirs qui lui remontaient jusqu'aux coudes. Contrairement aux autres, elle n'avait pas de chapeau.

D'après moi, elle ne ressemblait pas du tout à une sorcière, pourtant, elle l'était à coup sûr. Sinon, que fabriquait-elle sur cette estrade ? Et pourquoi diable les autres sorcières la regardaient-elles avec ce mélange d'adoration et de crainte ?

La jeune femme leva lentement les bras jusqu'à son visage. Je vis ses mains gantées défaire quelque chose, derrière les oreilles et soudain... elle attrapa ses joues et son joli visage lui resta entre les mains !

Elle portait un masque !

Elle le posa sur une petite table. Elle était alors de profil. Puis elle se retourna et nous fit face. Je faillis

pousser un cri. Jamais je n'avais vu visage si terrifiant, ni si effrayant ! Le regarder me donnait des frissons de la tête aux pieds. Fané, fripé, ridé, ratatiné. On aurait dit qu'il avait mariné dans du vinaigre. Affreux, abominable spectacle. Face immonde, putride et décatie. Elle pourrissait de partout, dans ses narines, autour de la bouche et des joues. Je voyais la peau pelée, versicotée par les vers, asticotée par les asticots... Et ses yeux qui balayaient l'assistance... Ils avaient un regard de serpent !

Parfois, quand quelque chose est trop terrifiant, on se sent fasciné et l'on ne peut en détacher le regard. J'étais subjugué, anéanti, réduit. L'horreur de ses traits m'hypnotisait.

Je compris aussitôt que cette femme était la Grandissime Sorcière en personne. Pas étonnant qu'elle porte un masque ! Elle n'aurait jamais pu se promener dans une foule ni retenir une chambre dans un hôtel. N'importe qui, en la voyant, se serait enfui en hurlant.

– Les porrtes ! vociféra-t-elle d'une voix qui résonna dans toute la salle. Sont-elles ferrmées à double tourr ?

– A double tour, Votre Magnanime, répondit celle qui barrait la porte.

Les yeux de serpent qui luisaient si intensément dans ce visage rongé, fixèrent sans ciller les sorcières assises en face d'elle.

– Enlevez vos gants ! hurla-t-elle.

Sa voix avait le même timbre dur et métallique que celle de la sorcière que j'avais rencontrée sous le marronnier, mais elle portait davantage. Elle raclait, roulait, grinçait, crissait.

Toutes les sorcières enlevèrent leurs gants. Je guettai les mains de celles du dernier rang. Je voulais vérifier à quoi ressemblaient leurs doigts, et si Grand-mère avait raison. Mais... oui ! Des griffes brunes se recourbaient au bout de leurs doigts. Elles avaient bien cinq centimètres de long, ces griffes, et comme elles étaient pointues !

– Enlevez vos chaussourrres ! aboya la Grandissime.

Les sorcières poussèrent un soupir de soulagement tout en envoyant valser leurs étroits souliers à talon. J'aperçus leurs pieds sous les chaises : ils étaient carrés, sans orteils ! Répugnants, ces pieds ! On aurait dit qu'on leur avait coupé les orteils avec un couteau à découper le poulet.

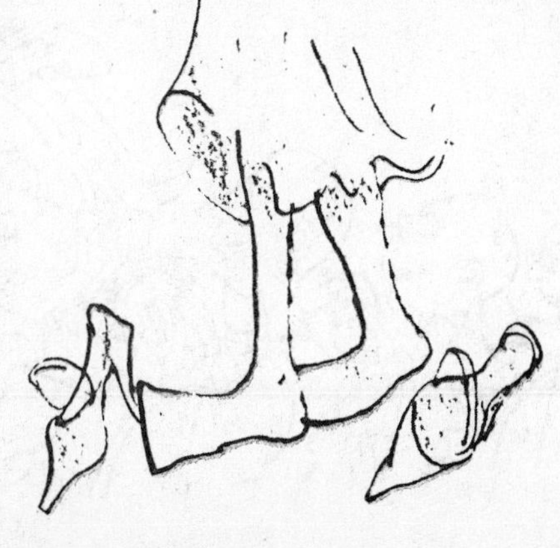

– Enlevez vos perrrouques ! lança la Grandissime Sorcière.

Quelle étrange façon de parler ! Elle avait un accent étranger, disait « ou » au lieu de « u » et roulait terriblement les r. Elle les roulait, les roulait dans sa bouche comme on roule une pomme de terre brûlante avant de la recracher !

– Enlevez vos perrrouques et aérrez vos crrânes couverrts de poustoules ! hurla-t-elle.

Autre soupir de soulagement de la part de l'assemblée.

Toutes les perruques furent enlevées, ainsi que les chapeaux.

Alors apparurent sous mes yeux horrifiés des rangées et des rangées de têtes de femmes chauves. A force d'avoir été frottés contre le dessous rugueux des perruques, les crânes étaient devenus rouges et irrités. Impossible de vous décrire cette horreur. Et ces femmes

étaient habillées avec grâce et élégance, ce qui ajoutait au grotesque. C'était monstrueux.

« Mon Dieu ! pensai-je. Au secours ! Seigneur, ayez pitié de moi ! Ces répugnantes femmes chauves tuent des enfants et je suis dans la même salle qu'elles ! Impossible de m'échapper ! »

Une pensée encore plus horrible me traversa. Grand-mère m'avait raconté que grâce à leurs grandes narines, elles arrivaient à sentir un enfant au bout d'une rue, en pleine nuit. Jusqu'à présent, Grand-mère avait toujours dit vrai. Donc, l'une des sorcières du dernier rang allait me sentir, d'un moment à l'autre. Toute la salle hurlerait : « Caca de chien ! » Et je serai fait comme un rat.

Je m'agenouillai par terre, osant à peine respirer.

Puis soudain, je me souvins d'un détail très important qu'avait précisé Grand-mère : « Plus tu es sale, moins une sorcière te sent. »

A quand remontait mon dernier bain ?

Sûrement pas au déluge ! J'avais une chambre pour moi tout seul, à l'hôtel, et Grand-mère ne m'ennuyait pas avec ce genre de bêtises. En y réfléchissant, je crois bien que je n'avais pas pris de bain depuis notre arrivée.

Quand m'étais-je lavé les mains ou la figure pour la dernière fois ?

En tout cas, pas ce matin.

Ni hier.

Je regardai mes mains. Elles étaient couvertes d'encre, de boue et de je ne sais quoi d'autre.

Après tout, il me restait peut-être une chance. Les vagues puantes ne pourraient jamais traverser cette crasse.

– Sorrcièrres d'Angleterrre ! hurla la Grandissime, qui n'avait enlevé ni sa perruque, ni ses gants, ni ses chaussures. Sorrcièrres d'Angleterre !

Les sorcières sursautèrent, inquiètes, et se redressèrent sur leurs chaises.

– Malheurreuses ! cria la Grandissime Sorcière. Parrresseuses ! Bonnes à rrien ! Vous êtes oun tas de verrmisseaux !

Un frisson parcourut l'assistance. De toute évidence, la Grandissime Sorcière était en colère. J'avais le pressentiment qu'un événement sinistre allait se produire.

– Ce matin, vociféra la Grandissime Sorcière, je prrenais mon petit déjeuner, je rregarrdais la plage par la fenêtrre, et qu'est-ce que je vois ? Oun dégoûtant spectacle ! Des centaines, des milliers de sales zenfants rrépougnants jouant avec le sable. Pourrquoi sont-ils encorre vivants ? Pourrquoi ne les avez-vous pas touss détrouits ?

A chaque mot, elle crachait des postillons bleus.

– *Pourrquoi ?*

Personne ne répondit.

– Les zenfants pouent ! hurla-t-elle. Ils empestent le monde. Nous ne voulons plous d'eux !

Les têtes chauves du public approuvèrent vigoureusement.

– Oun enfant parr semaine, ça ne souffit pas ! brailla la Grandissime Sorcière. C'est tout ce que vous pouvez fairre ?

– Nous ferons mieux, murmura l'assistance. Beaucoup mieux !

– Ça ne souffit pas ! hurla la Grandissime. Je veux le maximum ! Ce sont mes orrdres. J'orrdonne que touss les zenfants du pays soient balayés, écrrasés, écrrabouillés, poulvérrisés, exterrminés avant oun an ! Comprris ?

Le public haletait. Je vis les sorcières se regarder, fortement gênées. Une des sorcières, au bout du premier rang, dit à haute voix :

– Tous ! Nous ne pouvons pas nous débarrasser de tous !

La Grandissime Sorcière pivota sur elle-même, comme si on lui avait enfoncé un poignard dans le dos.

– Qui a parrlé ? aboya-t-elle. Qui ose me contrredirre ? C'est toi, n'est-ce pas ?

De son doigt pointu comme une aiguille, elle désignait la sorcière qui venait de parler.

– Je ne le pensais pas vraiment, Votre Magnanime ! protesta la sorcière. Je ne voulais pas vous contredire. Je pensais à haute voix.

– Tou as osé me contrredirre ! répéta la Grandissime.

– Je pensais à haute voix ! répéta la malheureuse sorcière. Je vous le jure, Votre Magnanime !

Elle tremblait de peur.

La Grandissime Sorcière fit un pas en avant, puis proféra ces paroles qui me glacèrent :

Sorrcièrre idiote qui rrépond
Brroûlerra comme un brrandon

– Non ! Non ! implora la pitoyable sorcière du premier rang.

Mais la Grandissime continua :

Sorrcièrre bête écerrvelée
Doit crramer dans le boucher !

– Au secours ! hurla l'infortunée sorcière.

Sans faire attention à elle, la Grandissime reprit .

Sorrcièrre bête qui caquette
Rrôtirra comme oune poulette !

– Pardonnez-moi, Votre Magnanimissime ! cria la pauvre sorcière. Je ne pensais pas du tout !

Mais la Grandissime Sorcière continua à réciter, d'une voix terrible :

Idiote qui me contrredit
Peut dirre adieu à la vie !

Un fulgurant éclair d'étincelles jaillit de ses yeux et tomba aux pieds de la sorcière qui avait osé parler. Frappée par les étincelles, celle-ci poussa un hurlement épouvantable. De la fumée s'éleva. Une odeur de viande grillée remplit la salle.

Personne ne bougea.

Lorsque la fumée s'évanouit, un petit nuage blanchâtre s'éleva et disparut par la fenêtre.

L'assemblée poussa un soupir.

La Grandissime Sorcière balaya la salle de ses yeux.

– J'espèrre que perrsonne ne me metrra plous en colèrre, aujoourrd'houi ! fit-elle.

Il y avait un silence de mort.

– *Frrite comme oune frrite !* conclut-elle. Couite comme oune carrotte ! Vous ne la rreverrrez plous jamais ! Maintenant, rretourrnons à nos moutons !

Les bonbons à retardement

– Les zenfants me répougnent ! cria la Grandissime Sorcière. Nous les poulverriserrons ! Nous les balaierrons de la sourrface de la terrre ! Au trrou !

– Oui, oui, scandait le public. Pulvérisons-les ! Balayons-les de la surface de la terre !

– Les zenfants empestent ! hurla la Grandissime Sorcière.

– Oui, les enfants empestent ! répéta le chœur des sorcières.

– Les zenfants sont sales et pouants ! tonitrua la Grandissime Sorcière.

– Sales et puants ! reprit l'assemblée, de plus en plus excitée.

– Les zenfants pouent le caca de chien ! brailla la Grandissime Sorcière.

– Pouah ! Pouah ! Pouah ! hurla le public.

– Et pirre encorre, grinça la Grandissime Sorcière. Le caca de chien sent la violette et la prrimevèrre à côté de l'odeurr des zenfants !

– La violette et la primevère ! répéta le chœur, qui ne cessait d'applaudir à chaque phrase.

La Grandissime Sorcière tenait ses sujets sous son charme.

– Parrler des zenfants me rrend malade ! vocifèrat-elle. Rrien que d'y penser me fait vomirr ! Que l'on m'apporrte oune couvette !

Elle s'arrêta, et fixa le visage des sorcières, qui attendaient la suite, haletantes.

– Et maintenant, aboya la Grandissime Sorcière, je vais vous rrévéler mon plan ! Oun gigantesque plan pourr nettoyer l'Angleterrre de touss ses zenfants !

Frémissantes, les sorcières se regardaient avec des sourires de vampires.

– Oui ! tonna la Grandissime Sorcière. A bas les petits moutarrds pouants !

– Hourrah ! s'écrièrent les sorcières en applaudissant. Vous êtes géniale, ô Votre Magnanime ! Vous êtes fantabilissime !

– Ferrmez-la, écoutez et ouvrrez les zorreilles ! coupa la Grandissime Sorcière. Attention, je veux que le boulot ne soit pas cochonné ! Penchez-vous !

Les sorcières obéirent.

– Chacoune de vous va rretourrner chez elle et quitter son trravail.

– Nous quitterons nôtre travail ! hurla le chœur des sorcières.

– Ensouite, continua la Grandissime Sorcière, chacoune de vous irra acheter...

Elle s'arrêta.

– Quoi donc ? demandèrent les sorcières. Dites-nous, ô Magnanissime, ce que nous devons acheter.

– Des magasins de bonbons !

– Des magasins de bonbons ! répéta le chœur. Nous achèterons des confiseries. Quelle idée géniale !

– Vous achèterrez les confiserries les meilleurres et les plous rrenommées d'Angleterrre !

– Oui ! Nous achèterons les meilleures confiseries du pays ! hurlaient les sorcières.

Et leurs voix terrifiantes résonnaient comme des roulettes de dentiste grinçant de concert.

– Pas de petites confiserries avec des bonbons à oun penny ! hurla la Grandissime Sorcière. Il faut que vous zayez les meilleurres confiserries rremplies jusqu'au plafond de piles et de piles de délicieux bonbons et de souccoulents chocolats. Vous zy arrriverrez facilement. Vous n'aurrez qu'à offrrirr quatrre fois le prrix de la confiserrie. Perrsonne ne vous rrésisterra. L'arrgent n'est pas oun prroblème pourr nous sorrcièrres. J'ai emporrté six valises rremplies de billets zanglais tout chauds et tout neufs. Touss sont faits maison !

La Grandissime Sorcière eut un regard diabolique.

Les sorcières sourirent, appréciant la plaisanterie.

A ce moment-là, excitée par ces perspectives alléchantes, une sotte sorcière bondit de son siège en caquetant :

– Des bandes d'enfants viendront dans ma boutique ! Je leur donnerai des bonbons et des chocolats empoisonnés, puis je ramasserai les enfants à la petite cuillère !

Un grand silence accueillit cette proposition.

Le minusculissime corps de la Grandissime Sorcière s'était raidi de rage.

– Qui a parrlé ? vociféra-t-elle. C'est toi ! Toi, là-bas !

La sotte s'assit aussitôt, et se couvrit la face de ses mains griffues.

– Stoupide gaffeuse ! piailla la Grandissime. Étourrdie sans cerrvelle. Tou ne vois pas que si tou empoisonnes les zenfants, tou serras aussi sec arrrêtée ? De ma vie, je n'ai entendou oune sorrcièrre aussi sotte !

L'assemblée tout entière courbait l'échine en tremblant.

« Le fulgurant éclair d'étincelles va jaillir de nouveau ! » pensai-je.

Curieusement, rien ne se passa.

– Si oune idée aussi lamentable peut vous venirr à l'esprrit, tonna la Grandissime Sorcière, pas étonnant que l'Angleterrre grrouille encorre d'horrribles petits zenfants !

Elle se tut un moment, regarda fixement le public, puis reprit :

– Ne savez-vous pas que nous, les sorrcièrres, n'outilisons que la sorrcellerrie !

– Mais si, nous le savons, Votre Magnanime ! répondit en chœur le public.

La Grandissime Sorcière frotta ses mains squelettiques et gantées.

– Donc, chacoune de vous va posséder oune magnifique confiserrie. Ensouite, vous zafficherrez qu'à oune date prrécise aurra lieu oune fête pourr l'ouverrturre de la confiserrie, avec distrriboution grratouite de bonbons et de chocolats pourr les petits zenfants !

– Ça attirera ces affreux petits gloutons ! s'écrièrent les sorcières. Ils se battront pour entrer !

– Pouis vous prréparrerrez cette fête en mettant oun peu de ma derrnièrre potion dans tous les chocolats et tous les bonbons. Je l'ai fabrriquée selon la forrmoule 86 : c'est la potion pourr bonbons à rretardement...

– Les bonbons à retardement ! répétèrent les sorcières. Vous avez encore mijoté une potion diabolique pour exterminer les enfants. Quelle est la recette, ô Magnanissime ?

– Attendez ! D'aborrd, je vous zexplique comment marrche ma potion. Écoutez bien.

– Nous sommes tout ouïes ! crièrent les sorcières en tressautant de joie sur leurs sièges.

– La potion à rretarrdement est oun liquide vert. Oune seule goutte dans oun bonbon souffit. Voilà ce qui arrrive à l'enfant qui en a pris :

1. L'enfant rrentrre chez loui en excellente forrme ;
2. Il va au lit en excellente forrme ;
3. Il se rréveille, le lendemain, en excellente forrme ;
4. Il va à l'école toujourrs en excellente forrme...

Vous comprrenez, le rrésoultat n'a pas lieu tout de souite. C'est comme une bombe à rretarrdement...

– Nous comprenons, ô Magnanissime ! crièrent les sorcières. Mais quand se met-il en marche ce bonbon à retardement ?

– Ce bonbon à retarrdement entrre en action à neuf heurres pile, quand l'enfant est en classe ! hurla triomphalement la Grandissime Sorcière.

5. L'enfant se met à rrétrrécirr...
6. Des poils loui poussent...
7. Quatrre pattes et oune queue !... Tout cela dourre 26 secondes exactement.

8. Aprrès quoi, l'enfant n'est plous oun enfant, mais oune sourris, en excellente forrme !

– Une souris ! Quelle idée fabuleuse !

– Les salles de classe grrouillerront de sourris ! L'Apocalypse et le Chaos rrégnerront dans toutes les zécoles d'Angleterrre. Les maîtrres sauterront au plafond, et les maîtrresses sourr les bourreaux en appelant au secourrs !

– En appelant au secours ! répéta l'assemblée.

– Et ensouite, que se passerra-t-il dans les zécoles ?

– Dites-nous ! Dites-nous ! Ô Grandissime et Magnanissime Sorcière ! supplièrent les sorcières.

La Grandissime Sorcière avança son cou squelettique et sourit à son public, en montrant deux rangées de dents pointues, légèrement bleues.

– Ce serra *le temps des sourricièrres* ! vociféra-t-elle.

– *Le temps des souricières* ! répétèrent les sorcières.

– Et dou grrouyèrre ! ajouta la Grandissime Sorcière. Les maîtrres éparrpillerront des sourricièrres mounies de grrouyèrre dans toutes les classes et la courr de rrécrréation ! Les sourris grrignoterront le grrouyèrre et... Clac ! Clac ! Les têtes rroulerront parr terrre comme des billes. Et dans toutes les zécoles anglaises rrésonnerra le brouit joyeux des sourricièrres ! Clac ! Clac ! Clac !

A ce moment-là, la vieille et répugnante Grandissime Sorcière se mit à danser la gigue sur l'estrade, claquant des pieds et battant des mains. L'assemblée l'imita.

Quel brouhaha !

« Si seulement le directeur de l'hôtel l'entendait et venait frapper à la porte... », pensai-je.

Hélas, il ne vint pas.

Puis, dominant le vacarme, la voix de la Grandissime

Sorcière se mit à brailler un affreux, un diabolique chant d'allégresse :

A morrt, à morrt les marrmots !
Faisons bouillirr la peau et les os !
En petits morrceaux les loupiots !
Offrrons-leurr des chocolats trrouqués
Et des bonbons ensorrcelés !
Gavons-les de gâteaux glouants,
Et qu'ils rrentrrent chez eux gaîment !

Ces petits crrétins, le lendemain,
Vont à l'école, ne se doutant de rrien.
Oune petite fille crrie : « C'est affrreux !
Rregardez tous ! J'ai oune queue ! »
Oun petit garrçon qui courrait dans la roue :
« Au secourrs ! Je suis tout poilou ! »
Et oun autrre (tout le monde rrit) :
« J'ai des moustaches de sourris ! »
Un grrand gaillarrd tout ahourri :
« Me voilà devenou petit ! »
Quatrre pattes, dou poil, des moustaches,
Voilà de drrôles de potaches !

Mais brrousquement, quelqu'un s'écrrie :
« Ils se sont changés en sourris ! »
Les petites bêtes entrrent dans leurrs classes
Et, mine de rrien, se mettent à leurr place.
Crris des malheurreux prrofesseurrs :
« Ciel ! Oune invasion de rrongeurs ! »
Debout sourr les bourreaux, ils crrient :
« Tout, tout, mais pas de sourris !
Des sourricièrres, je vous prrie !
Avec dou grrouyèrre garrnies ! »
On apporrte les sourricièrres,
Les sourricièrres et le grrouyèrre.
Cliqueti-clac ! Clac ! Clac !
Les rressorrts cliquettent et claquent !
C'est le plouss mélodieux des brrouits.
Pourr oune sorrcièrre, quelle symphonie !
Les petits cadavrres des anciens marrmots
Forrment des piles de deux mètrres de haut !
Les maîtrresses cherrchent dans les coins :
« Où sont cachés les galopins ? »
L'heurre de la rrentrrée est passée !
Les maîtrresses sont désolées.
Elles s'assoient sourr oun banc
En attendant les garrnements...
Les maîtrres balaient les sourris
Sourr les trrottoirrs.
Quelle histoirre !
Quant à nous, sorrcièrres,
Nous crrions : « Youpy !
Et salout la compagnie ! »

La recette

Vous n'avez pas oublié, j'espère, que, pendant que se déroulait cette scène, j'étais toujours agenouillé derrière le paravent, l'œil braqué sur la fente. Ce congrès me semblait durer une éternité. Le plus dur, c'est que je ne devais ni tousser ni faire le moindre bruit, sinon j'étais cuit comme une carotte ! Je vivais dans la terreur qu'une des sorcières du dernier rang repère ma présence en me reniflant, avec ses narines.

Mon seul espoir : il y avait des jours et des jours que je ne m'étais pas lavé. Et ces sorcières déchaînées, applaudissant, hurlant, ne pensaient qu'à leur Grandissime et à son plan génial pour débarrasser l'Angleterre de tous ses enfants. Elles ne songeaient pas qu'elles pouvaient flairer la présence d'un enfant tout proche. Dans leurs rêves les plus fous (si elles rêvent), cela ne se produisait jamais. Tapi sans bouger, je priais.

La Grandissime Sorcière avait fini son diabolique chant d'allégresse, et l'assemblée applaudissait à tout rompre.

– Génial ! Fabuleux ! Fantastique ! Vous êtes une diablesse, ô Magnanissime ! Ces bonbons à retardement sont une invention extraordinaire. Ce sera un triomphe ! Et ce seront les maîtres eux-mêmes qui trucideront les garnements ! Quel piquant ! On ne nous soupçonnera jamais !

– On ne démasque jamais les sorrcièrres ! coupa la Grandissime. Maintenant, je demande toute votrre attention carr je vais vous rrévéler la rrecette de la Potion Sourris à retarrdement !

L'assemblée haletait. Puis soudain il y eut un tonnerre de hurlements et de cris. Plusieurs sorcières sautèrent sur leur chaise, désignant la tribune et vociférant :

– Des souris ! Des souris ! La Magnanime vient de nous faire une démonstration ! Elle a changé deux enfants en souris ! Les voici !

Sur la tribune, il y avait bien deux souris qui trottinaient dans les jupes de la Grandissime Sorcière.

Ce n'était ni des souris des villes ni des souris des champs, mais *des souris blanches* ! Je reconnus aussitôt mes petits William et Mary !

– Des souris ! hurlait l'assemblée. Notre chef a fait surgir des souris du néant. Vite, les souricières et le gruyère !

La Grandissime Sorcière regardait William et Mary, visiblement déconcertée. Elle se pencha pour les examiner de près. Puis elle se leva et annonça :

– Silence !

Le public se tut et se rassit.

– Je n'ai rrien à voirr avec ces sourris. Ce sont des sourris apprrivoisées. De toute évidence, elles apparrtiennent à quelque rrépougnant enfant de l'hôtel. Oun garrçon, cerrtainement. Les filles ne s'occoupent jamais de sourris !

– Un garçon ! s'écrièrent les sorcières. Un sale et puant petit garçon ! Une taloche et à la broche ! Nous croquerons ses tripes au petit déjeuner !

– Silence ! hurla la Grandissime en levant les bras.

Nous ne devons pas nous fairre rremarrquer dans cet hôtel, vous le savez. Débarrrassons-nous de ce vilain petit insolent mais sans tapage. Nous sommes les forrt rrespectables dames de la Société Rroyale pourr la Prrotection de l'Enfance Perrsécoutée.

– Que proposez-vous, ô Magnanime ? demandèrent les sorcières. Comment régler son compte à ce petit tas d'ordures ?

« Elles parlent de moi, pensai-je. Elles veulent me tuer. » Je suais à grosses gouttes.

– Ce petit est sans imporrtance, dit la Grandissime Sorcière. Laissez-le-moi. Je le rreniflerrai, le changerrai en sarrdine et le crroquerrai pourr mon dîner.

– Bravo ! s'écrièrent les sorcières. Coupez-lui la tête, coupez-lui la queue, et à la poêle avec des œufs.

Vous l'imaginez, rien de tout ceci ne me faisait vraiment plaisir. William et Mary trottinaient toujours sur la tribune et je vis la Grandissime Sorcière envoyer valser William d'un coup de pied. Elle fit de même avec Mary. Elle visait rudement bien. Au football, elle aurait été championne. Les deux souris s'écrasèrent contre le mur, et restèrent assommées un moment par terre. Puis elles se remirent sur pattes et filèrent...

– Attention ! reprit la Grandissime Sorcière. Maintenant, je vais vous donner la rrecette pourr mijoter la Potion Sourris à rretarrdement. Prrenez dou papier et oun crrayon.

Toutes les sorcières ouvrirent leur sac, et sortirent leur carnet.

– Donnez-nous la recette, ô Magnanimissime ! criait le public brûlant d'impatience. Révélez-nous le secret !

– D'abord, il faut trrouver quelque chose qui perrmette de rapetisser trrès vite oun enfant.

– Quoi ?

– Facile. Il faut seulement rregarrder l'enfant parr le mauvais bout d'oun télescope !

– Vous êtes sublime ! s'écria l'assemblée. Personne n'aurait jamais pensé à ça !

– Donc, vous prrenez oun télescope parr le mauvais bout, et vous le faites bouillirr jousqu'à ce qu'il rramollisse.

– Combien de temps ?

– Cela doit bouillirr vingt et oun heurres. Pendant ce temps, prrenez exactement quarante-cinq sourris brrounes. Coupez-leurr la queue avec oun couteau, et faites les frrirre dans la brrillantine jousqu'à ce qu'elles soient bien crroquantes.

Et les souris ?

– Laissez-les frrémirr dans dou jous de crrapaud pendant oune heure. Mais écoutez bien. Jousque-là, la rrecette est simple. Le prroblème est d'intrroduirre oun élément qui aurra oune vérritable action à rretarrdement, dans les bonbons que mangerront les zenfants, et qui n'aurra de l'effet que le lendemain à neuf heurres, quand ils zarrivent à l'école.

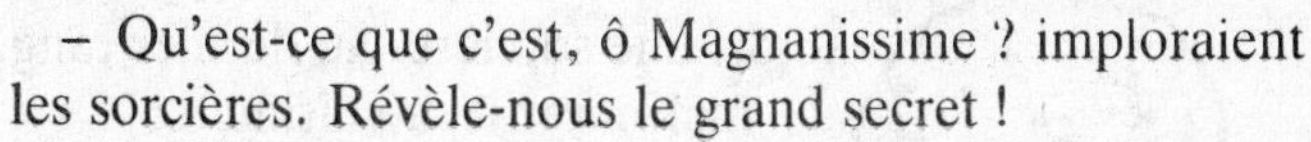

– Qu'est-ce que c'est, ô Magnanissime ? imploraient les sorcières. Révèle-nous le grand secret !

– Le secrret, annonça triomphalement la Grandissime Sorcière, c'est oun rréveil !

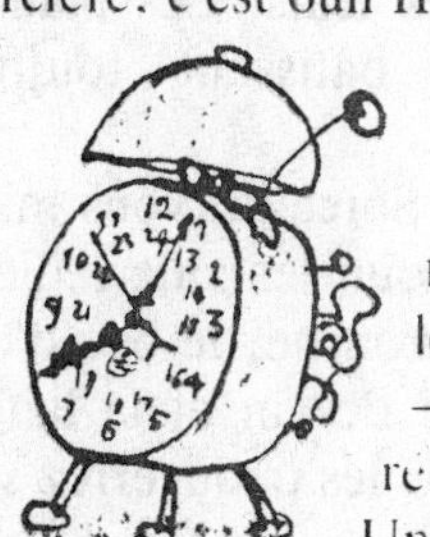

– Un réveil ! Quel coup de génie ! s'écria l'assistance.

– Absoloument ! On rrègle le rréveil aujourd'houi, et il sonne le lendemain à neuf heures !

– Mais il nous faut cinq millions de réveils ! s'exclamèrent les sorcières ! Un pour chaque enfant.

– Idiotes ! hurla la Grandissime Sorcière. Si vous voulez manger oun bifteck, faites-vous couire le bœuf entier ? C'est la même chose avec oun rréveil. Oun seul souffit pourr mille enfants. Vous rréglez le rréveil pourr qu'il sonne à neuf heurres dou matin. Pouis, qu'il rrôtisse au fourr ! Vous zavez noté ?

– Oui, Grandissime Sorcière, nous notons !

– Ensouite, prrenez votrre télescope bouilli, vos queues de sourris grrillées, vos sourris marrinées, et vous passez le tout au mixerr. Mixez à toute vitesse. Vous zavez alorrs oune belle pâte épaisse. Alorrs, continouez à mixer aprrès avoirr ajouté le blanc d'oun œuf de grrognassier.

– Un œuf de grognassier, d'accord ! répétèrent les sorcières.

A travers les clameurs, j'entendis une sorcière, au dernier rang, murmurer à sa voisine :

– Je suis trop vieille pour aller dénicher des œufs. Ces maudits grognassiers bâtissent toujours leurs nids très haut !

– Donc, reprit la Grandissime Sorcière, vous mixez l'œuf, pouis vous ajoutez oun à oun les zingrrédients souivants : la pince d'oun crrabcrronche, le bec d'oun blablapif, le grroin d'oun cochon de vin et la langue d'oun chavélos. J'espèrre que vous les trrouverrez sans problème.

– Sans problème ! répliquèrent les sorcières. Nous tuerons le blablapif au harpon, nous piégerons le crabcronche, nous tirerons sur le cochon de vin et nous attraperons le chavélos dans son terrier.

– Excellent, approuva la Grandissime Sorcière. Quand vous aurrez tout mixé, vous obtiendrrez oun magnifique liquide verrt. Intrroduisez oune goutte, jouste oune gouttelette de ce prrodouit dans oun bonbon ou dans oun chocolat, et, à neuf heurres dou lendemain matin, l'enfant qui l'aurra crroqué se rretrrouverra trransforrmé en sourris, vingt-six secondes plous tarrd ! Mais attention, ne dépassez jamais la dose. Ne mettez jamais plous d'oune goutte dans chaque bonbon ou chocolat, et ne donnez à oun entant qu'oun bonbon ou qu'oun chocolat. Oune grrosse dose de la Potion Sourris à rretarrdement dérréglerrait le

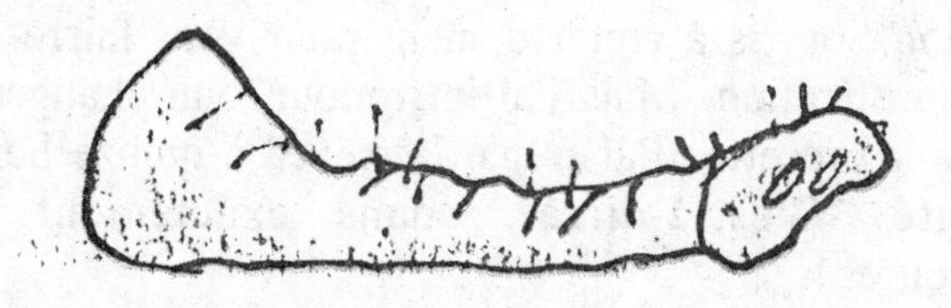

rréveil, et l'enfant deviendrrait sourris trop tôt. Oune grrosse dose peut avoirr oun effet instantané, et vous ne le souhaitez pas. Il ne faut pas que les zenfants soient

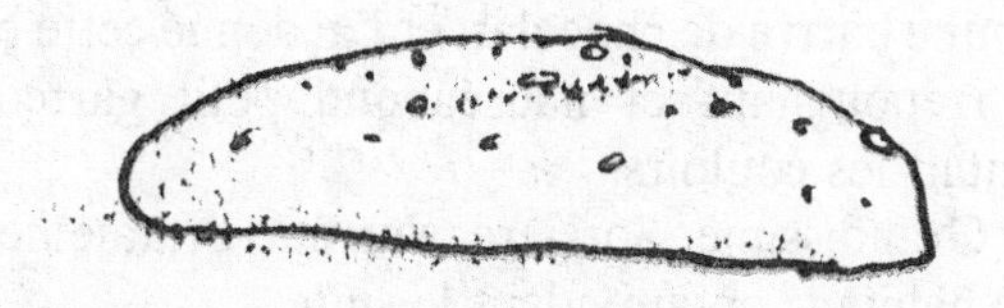

trransforrmés en sourris dans vos confiserries.

Sinon, adieu à nos prrojets !

Aussi, attention : pas de grrosse dose !

La démonstration

La Grandissime reprit la parole :

– Maintenant, je vais vous prrouver que cette potion marrche à la perrfection. Il est bien entendou que vous pouvez fairre sonner le rréveil à l'heurre que vous voulez ! Ce n'est pas forrcément neuf heurres. Donc, hierr, j'ai prréparré, moi-même, oune petite quantité de Potion Sourris à rretarrdement pour vous fairre oune démonstrration. Mais j'ai intrrodouit oun changement dans la rrecette. J'ai rréglé le rréveil à quinze heurres trente. C'est-à-dirre... dans exactement sept minoutes !

L'assemblée des sorcières buvaient les paroles de la Grandissime, pressentant qu'un événement extraordinaire allait se produire.

– Qu'ai-je donc fait de cette potion ? Je vais vous rrépondrre aussitôt. J'ai glissé oune goutte de potion dans oune barrre de chocolat, et j'ai donné cette barrre à oune rrépougnant et nauséabond petit garrçon, qui arrpentait les couloirs.

La Grandissime Sorcière s'arrêta brutalement. Le public haletait, en attendant la suite.

– Ce rrépougnant petit moutarrd a crroqué sa barrre de chocolat. « C'est bon ? » loui ai-je demandé. « Souperr ! » a-t-il rrépondou. « En veux-tou d'autrres ? »

ai-je demandé. « Ouais ? » a-t-il rrépondou. Alorrs j'ai déclarré : « Je te donnerrai six barrres de chocolat, si tou viens dans la salle de bal de cet hôtel, demain à 3 h 25 de l'aprrès-midi. » « Six barrres ! s'est écrrié le dégoûtant petit porrc. J'y serrai. Pour soûr, j'y serrai ! »

Et la Grandissime Sorcière se mit à hurler :

– La mise en scène est prrête ! La prreuve parr neuf va commencer !... Il est maintenant, voyons sourr ma montrre, 3 h 25, et l'affrreux petit moutarrd serra changé en sourris dans cinq minoutes. Il devrrait déjà se trrouver devant la porrte.

Et la diablesse avait raison. Le garçon tambourinait à la porte.

– Vite ! cria la Grandissime Sorcière. Rremettez vos perrouques, vos gants et vos chaussourres !

Les sorcières obéirent dans un désordre indescriptible. La Grandissime Sorcière replaça son masque sur son terrifiant visage. C'était stupéfiant de voir comme il la transformait en jeune et jolie femme.

– Je veux entrer ! criait la voix du garçon, derrière la porte. Où sont les chocolats que vous m'avez promis ? Je les veux, ils sont à moi !

– Non seulement il poue, mais il est goulou ! dit la Grandissime Sorcière. Ouvrrez la porrte, et qu'il entrre !

Chose extraordinaire, ses lèvres remuaient naturellement quand elle parlait, malgré son masque.

La matrone, qui barrait la porte, enleva la chaîne, introduisit la clé dans la serrure, et ouvrit.

– Bonjour, mon bonhomme ! s'écria-t-elle. Ravie de te voir ! Tu viens chercher tes barres de chocolat, n'est-ce pas ? Elles t'attendent ! Viens !

Un petit garçon portant un tee-shirt blanc, des shorts gris et des tennis, entra dans la salle. Je le reconnus

aussitôt. Il s'appelait Bruno Jenkins, et habitait à l'hôtel avec ses parents. C'était un garçon sans intérêt, le genre d'individu qui est toujours en train de manger. Vous l'apercevez dans le hall de l'hôtel ? Il se gave de chips ! Dans le jardin ? Il s'empiffre de glace. De plus, Bruno se vantait sans arrêt : « Mon père gagne plus que le tien. Nous avons trois voitures, etc. »

Il y avait pire. Hier matin, je l'avais découvert agenouillé sur la terrasse, tenant une loupe. Avec elle, il captait les rayons du soleil et il s'amusait à rôtir les fourmis.

– J'adore les voir brûler ! avait-il dit.

– C'est horrible ! m'étais-je écrié. Arrête.

– Essaie un peu de m'arrêter ! avait-il répliqué.

Alors, je l'avais poussé de toutes mes forces, et il était tombé contre la balustrade où étaient hissés les drapeaux.

Sa loupe s'était brisée, et il s'était relevé en braillant :

– Mon père te le fera payer !

Puis il avait filé, sans doute pour chercher son père. C'était la dernière fois que j'avais aperçu Bruno Jenkins. Le voir transformé en souris m'aurait beaucoup surpris, mais je dois avouer que cela ne m'aurait pas déplu. En tout cas, je n'aurais pas voulu être à sa place.

– Mon cherr petit, roucoula la Grandissime Sorcière toujours sur l'estrade, j'ai tes chocolats. Monte prrès de moi, et dis bonjourr à ces charrmantes dames.

Sa voix était douce comme du miel, à présent.

Bruno semblait un peu éberlué par cet accueil, mais il accepta d'être conduit par la matrone sur l'estrade.

– Vouais ! fit-il. Où sont mes six barres de chocolat ?

Une seconde sorcière referma la porte à double tour, et remis la chaîne cadenassée autour des deux loquets. Bruno, trop occupé à réclamer ses barres de chocolat, ne le remarqua pas.

– Il ne rreste plouss qu'oune minute avant trrois heurres trrente ! annonça la Grandissime Sorcière.

– Que se passe-t-il ? demanda Bruno.

Il n'avait pas peur, mais la situation le mettait mal à l'aise.

– Que se passe-t-il ? répéta-t-il. Je veux mes chocolats !

– Trente secondes ! cria la Grandissime Sorcière, en attrapant Bruno par le bras.

Le garçon se dégagea, et la dévisagea. Elle le fixa à son tour, souriant avec les lèvres de son masque. Toutes les sorcières regardaient Bruno.

– Vingt secondes ! cria la Grandissime Sorcière.

– Mes chocolats ! hurla Bruno, devenu, soudain, méfiant.

– Quinze secondes, continua la Grandissime Sorcière.

– Espèce de cinglée ! vociféra Bruno. Quand vous aurez fini de compter, vous me donnerez les chocolats, oui ou non ?

– Dix secondes ! s'exclama la Grandissime Sorcière. Neuf... Houit... Sept... Six... Cinq... Quatrre... Trrois... Deux... Oun... Zérro ! Mise à feu !

J'aurais juré entendre sonner un réveil. Bruno bondit, comme si on lui avait piqué les fesses avec une épingle à chapeau.

– Ouille ! hurla-t-il.

Il atterrit sur la petite table, placée sur l'estrade. Criant et grignotant, il se mit à sauter de tous les côtés. Soudain, silence. Son corps s'était raidi.

– Le rréveil a sonné ! cria la Grandissime Sorcière. La Potion Sourris à rretarrdement entrre en action !

Elle se mit à bondir sur l'estrade, en tapant sur ses mains gantées et en chantant :

Petit pou pouant
Moutarrd dégoûtant
Horrrible verrmisseau
Deviens sourr-le-champ
Oun rravissant sourriceau !

Bruno rapetissait, rapetissait, de seconde en seconde...

Ses habits disparurent, et des poils bruns lui poussèrent sur le corps.

Soudain, une queue...

Puis des moustaches...

Puis quatre pattes...

Cela se passa très vite, en quelques secondes...

Bruno n'était plus qu'un souriceau brun courant sur la table !

– Bravissimo ! hurla l'assemblée. La Grandissime Sorcière a réussi ! Ça marche ! Fantastique ! Fantastiquissime ! Vous êtes démoniaque, ô brillantissime !

Elles applaudissaient toutes, debout, déchaînées. La Grandissime Sorcière sortit une souricière cachée dans les replis de sa robe, et la posa par terre.

« Oh, non ! me dis-je. Je ne veux pas voir ça ! Bruno est le roi des enquiquineurs, mais quand même je n'ai pas envie de le voir décapité ! »

– Où est-il ? aboya la Grandissime Sorcière en cherchant sur l'estrade. Où a-t-il filé, l'animal ?

Impossible de le trouver, Dieu merci ! Le rusé Bruno avait dû sauter de la table et se cacher dans un coin ou dans un trou.

– Tant pis ! cria la Grandissime Sorcière Rrasseyez-vous et silence !

Les vieilles sorcières

La Grandissime monta sur la table, et balaya, de son regard fulgurant, l'assemblée des sorcières soumises.

– Les sorrcièrres qui ont plouss de soixante-dix ans, levez les mains ! aboya-t-elle.

Sept ou huit mains se dressèrent.

Et la Grandissime Sorcière de leur dire :

– Je pense que vous, les anciennes, vous ne pouvez plouss grrimper aux sommets des arrbrres pourr cueillirr les œufs des grrognassiers…

– Non, hélas, non ! fit le chœur des vieilles sorcières. Nous n'en sommes plus capables.

– Et vous ne pouvez plouss, poursuivit la Grandissime Sorcière, piéger les crrabcrronches, qui vivent aux crreux des falaises. Je ne vous vois pas, non plouss, essayer de rrattrraper à la course les chavélos, ni chasser au harrpon les blablapifs, ces poissons qui mettent le nez parrtout, ni même chasser, dans les landes déserrtes, les cochons de vin. Vous êtes trrop âgées et trrop fatiguées pourr ce genrre de jeux !

– Hélas, oui ! approuva le chœur des vieilles sorcières.

– Vous, les vieilles sorrcières, dit la Grandissime, vous m'avez serrvi fidèlement pendant de nombrreuses années. Vous êtes âgées et fatiguées, cerrtes, mais je

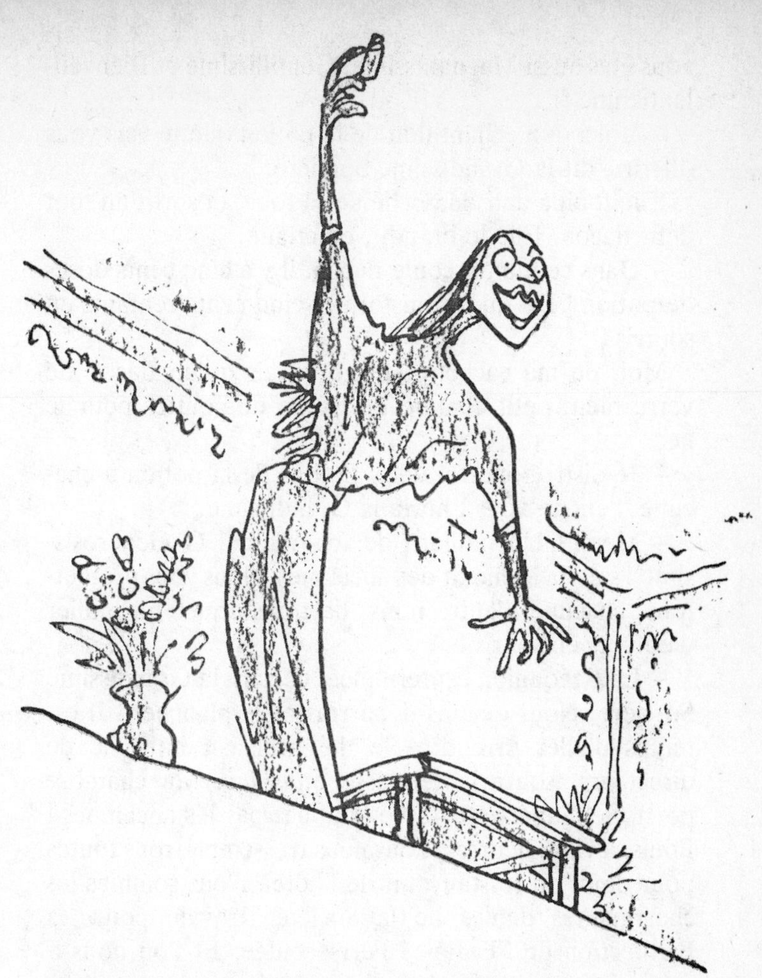

veux que, vous aussi, vous ayez le plaisirr de passer à la sourricièrre quelques milliers d'enfants. C'est pourrquoi j'ai prréparré, de mes prroprres mains, oune quantité limitée de la Potion Sourris à Rretarrdement, que je vous donnerrai avant que vous quittiez l'hôtel.

– Oh, merci ! Mille fois merci ! s'écrièrent les vieilles sorcières. Non seulement vous êtes Grandissime, mais vous êtes aussi Magnanissime, Gentillissime et Bienveillantissime !

– Voici oun échantillon de la potion que je vais vous offrrirr, dit la Grandissime Sorcière.

Elle fouilla dans la poche de sa robe, et sortit un tout petit flacon. Elle le brandit, en criant :

– Dans ce minouscoule flacon, il y a cinq cents doses de potion ! De quoi transformer cinq cents zenfants en sourris !

Moi, de ma cachette, je ne voyais qu'un flacon de verre bleu, petit comme un flacon de gouttes pour le nez.

– Je distrribouerrai deux flacons de la potion à chacune d'entrre vous ! hurla la Grandissime.

– Merci ! Un milliard de fois merci ! O Générosissime ! s'écria le chœur des anciennes. Nous vous promettons, chacune d'entre nous, de transformer un millier d'enfants en souris !

– La Rréounion est terminée, déclara la Grandissime Sorcière. Nous devons débarrrasser le plancher ! Il est temps d'aller prrendrre le thé avec cet imbécile de directeurr, sourr la terrrasse *Sunshine.* Ma chambre porrte le numérro 454. Ne l'oubliez pas les anciennes ! Pouis, à vingt heurres, nous nous rrassemblerrons toutes pour dîner au rrestaurrant de l'hôtel. Nous sommes les charrmantes dames de la Société Rroyale pourr la Prrotection de l'Enfance Perrsécoutée. Et l'on nous a rréserrvé deux grrandes tables. Mais sourrtout, n'oubliez pas de bourrrer vos narrines de coton. L'hôtel grrouille d'enfants à l'odeurr épouvantable, et, sans ces tampons, l'odeurr de caca de chien fumant gâcherrait notrre festin. Je vous rrappelle qu'il faut se condouirre de façon norrmale, quoi qu'il arrrive. Est-ce clairr ? Y a-t-il d'autrres questions ?

– Oui, Grandissime, dit une voix dans l'assistance. Qu'arrive-t-il si l'un de ces chocolats est croqué par un adulte ?

– La potion ne marrche pas avec les adultes, répondit la Grandissime Sorcière. Quittons les lieux.

Les sorcières ramassèrent leurs affaires et se levèrent.

Je les observais toujours à travers la fente du paravent, tout en priant le ciel qu'elles débarrassent le plancher au plus vite, pour que je me sente enfin tranquille.

– Attendez ! couina une voix. Arrêtez tout.

Il s'agissait d'une sorcière du dernier rang, et sa voix stridulait comme les trompettes d'un orchestre de cigales. Toutes les sorcières s'arrêtèrent, et se retournèrent vers elle.

Cette sorcière stridulante était une grande perche, et je l'apercevais bien, avec sa tête penchée vers le paravent et son nez humant l'air. Elle aspirait à pleins poumons, et ses *narines* frémissaient !

– Attendez ! s'écria-t-elle de nouveau.

– Que se passe-t-il ? demandèrent les autres sorcières.

– *Le caca de chien !* hurla la grande perche. Je viens de sentir l'abominable odeur de caca de chien !

– Sûrement pas ! s'exclamèrent les autres sorcières. C'est impossible !

– Si, si, reprit la grande perche. Je le sens à nouveau. L'odeur est faible, mais j'arrive à la sentir. Il y a un enfant, ici, dans cette salle, caché quelque part, pas très loin de moi.

– Que se passe-t-il au fond de la salle ? demanda la Grandissime Sorcière, furieuse, en descendant de l'estrade.

– Mildred a senti une odeur de *caca de chien*, Grandissime, lui répondit une sorcière.

– Baliverrnes et coquecigrroues ! s'écria la Grandissime. C'est elle, Mildrred, qui a du *caca de chien* entre les zorreilles. Il n'y a aucoun enfant dans cette salle.

– Attendez un instant ! cria la grande perche. Ne bougez pas ! Je sens à nouveau cette odeur abominable.

Ses grandes narines palpitaient comme les ventouses d'un poulpe s'attaquant à un scaphandrier !

– L'odeur devient de plus en plus forte, poursuivit la grande perche. Elle m'écorche les narines ! Vous ne sentez rien ?

Toutes les autres sorcières se mirent à frémir des narines.

– Mildred a raison ! s'écria une autre voix. Complètement raison ! C'est bien une odeur nauséabonde de *caca de chien* !

Et bientôt, toute l'assemblée des sorcières avait senti l'abominable odeur.

– *Caca de chien !* s'écrièrent-elles. La salle pue le *caca de chien* ! Pouah ! Deux fois Pouah ! Trois fois Pouah ! Comment se fait-il qu'on ne l'ait pas senti auparavant ? On se croirait dans un chenil. Un petit garçon doit se cacher dans cette salle !

– Il faut le trrouver ! vociféra la Grandissime Sorcière. Il faut le débousquer. Il faut fouiller parrtout Rreniflons, dans tous les coins.

Mes cheveux se dressèrent comme les épines d'un hérisson... Une sueur froide dégoulina des pores de ma peau.

– Il ne faut pas qu'il nous échappe, ce petit foumier à deux pattes ! continuait la Grandissime, d'une voix stridente. S'il est dans la salle, il a tout entendou de notrre plan extrraorrdinairre d'exterrmination parr les bonbons à rretarrdement ! Il faut le poulvérriser !

La métamorphose

« Pas moyen d'échapper à ces diaboliques sorcières ! pensai-je. Même si je cours comme un dératé, et que j'échappe à leurs griffes, je ne peux pas sortir de cette salle. La porte est fermée à double tour, et les loquets sont enchaînés et cadenassés ! Je suis cuit comme une souris ! Je suis perdu ! Oh ! Grand-mère, que vont-elles me faire ? »

Regardant derrière moi, j'aperçus une horrible sorcière outrageusement poudrée et maquillée, qui me fixait avec un sourire démoniaque.

– Il est là, derrière le paravent ! hurla-t-elle, triomphalement. Venez vite !

Elle tendit sa main gantée pour m'attraper par les cheveux. D'un bond, je me dégageai. Je courus à toute vitesse. La peur me donnait des ailes. Aucune sorcière ne put m'agripper. Enfin, la porte de la salle ! En vain, j'essayai de forcer sur les battants.

Les sorcières ne me poursuivaient même plus. Elles m'observaient par petits groupes, persuadées que je ne leur échapperais jamais. Plusieurs criaient, en se bouchant le nez :

– Pouah ! Quelle odeur ! C'est insupportable !

– Attrrapez-le, idiotes ! hurla la Grandissime Sorcière revenue sur l'estrade pour mieux observer la scène.

Maintenant qu'il est coincé devant la porrte, descendez les allées par petits grroupes verrs le fond de la salle. Il ne peut pas s'enfouirr. Apporrtez-moi vite ce petit fourroncle ! Je me le rréserrve !

Les sorcières obéirent et se mirent à avancer vers moi, à gauche, à droite, et dans l'allée centrale, entre les rangées de chaises vides. De cette façon, pas moyen de leur échapper. J'étais coincé.

– Au secours ! crai-je, pris de terreur.

Je tournai la tête vers la porte, dans l'espoir que quelqu'un m'entendrait, au dehors.

– Au secours ! A l'aide !

– Attrrapez vite ce sale petit bonhomme ! Empêchez-le de corrner à nos orreilles ! hurla la Grandissime.

Les sorcières se jetèrent sur moi. Quatre m'attrapèrent par les bras et les jambes, puis me soulevèrent. Comme je criai encore, une cinquième me ferma la bouche de sa main gantée.

– Apporrtez-le moi ! vociféra joyeusement la Grandissime. Apporrtez-moi ce petit verrmisseau qui nous espionnait !

On me porta jusqu'à l'estrade, et je restai suspendu en l'air, soutenu par les sorcières.

La Grandissime m'adressa un affreux sourire. Tout en tenant le petit flacon bleu de potion, elle déclara :

– Un peu de potion, maintenant ! Bouchez-loui le nez pourr qu'il ouvrre la bouche.

Des doigts vigoureux me pincèrent le nez. Je gardai la bouche fermée, retenant ma respiration. Mais je ne pouvais pas tenir longtemps, ma poitrine éclatait. J'ouvris la bouche pour expulser une bouffée d'air. La Grandissime Sorcière en profita pour glisser le contenu entier du flacon dans ma gorge !

Quelle horreur ! J'avais l'impression d'avoir avalé de

l'eau bouillante ! Ma gorge était en feu ! Cette épouvantable sensation de brûlure descendit dans mon estomac. Maintenant, tout mon corps brûlait ! Ma tête, mes jambes et mes bras ! Je hurlai, mais la main gantée de la Grandissime me referma la bouche.

Ensuite, je sentis ma peau rétrécir. Comment dire ? Du sommet de mon crâne jusqu'au bout de mes orteils, je rétrécissais. Un peu comme si j'étais un ballon qu'on s'amusait à tordre pour le faire éclater !

Ensuite, je sentis ma peau devenir métallique. Comme une automobile à la casse, sous presse. Oui, j'étais pressé !

Après quoi, je sentis une douloureuse sensation de

picotement sur ma peau (ou plutôt, sur ce qu'il en restait). C'était comme si de minuscules aiguilles sortaient de mon épiderme. Maintenant, je me rends compte que les poils de souris poussaient !

J'entendis, au loin, la voix de la Grandissime Sorcière hurler :

– Cinq cents doses ! Ce petit cancrrelat pouant a bou cinq cents doses ! Le rréveil a été poulvérrisé ! Nous assistons à ourr effet immédiat !

Des applaudissement éclatèrent.

« Je ne suis plus moi-même ! pensai-je. Je suis dans une autre peau ! »

Le sol n'était plus qu'à deux centimètres de mon nez !

Deux petites pattes poilues se trouvaient par terre. Je les remuai. C'étaient les miennes !

A ce moment-là, je compris que je n'étais plus un petit garçon mais un sourisseau !

– Et maintenant, glapit la Grandissime Sorcière, vite la sourricièrre et le morrceau de grouyèrre que j'ai sourr moi, pour la démonstrration.

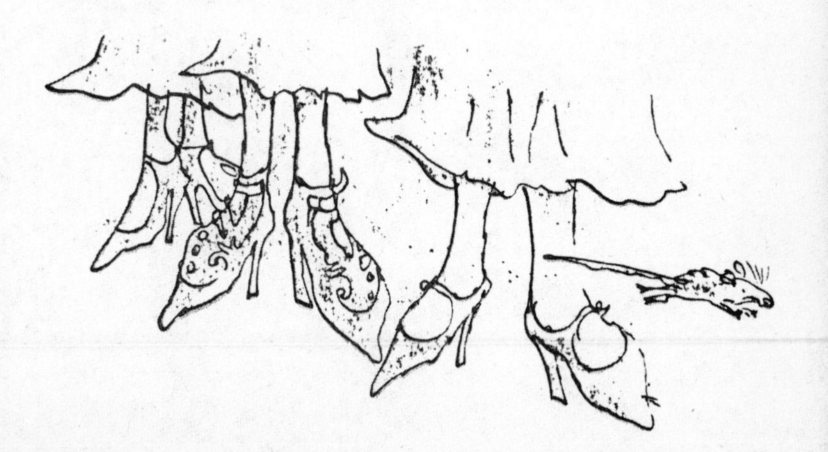

Je savais ce qui m'attendait : la tête coupée ! Je traversai l'estrade à la vitesse de l'éclair. Stupéfait de ma propre vitesse, je bondis par-dessus les pieds des sorcières, à gauche, à droite. En trois secondes, je descendis les marches de l'estrade, atterris sur le parquet de la salle, et me faufilai au milieu des chaises. Je ne faisais aucun bruit en courant. Maintenant, la douleur était partie, et je me sentais merveilleusement bien.

« Après tout, me dis-je, ce n'est pas mal d'être petit et rapide quand on a une horde de sorcières à ses trousses. »

Je repérai le pied d'une chaise, et je me cachai derrière, sans bouger.

– Laissez ce pou ! hurlait, au loin, la Grandissime Sorcière. Inutile de s'en occouper. Ce n'est plouss qu'oune sourris ! Le chat de l'hôtel en ferra son festin ! Sorrtons-vite d'ici ! Notre congrrès est terrminé ! Ouvrrons la porrte, et rrendons-nous à la terrrasse *Sunshine* pour prrendre le thé avec cet idiot de dirrecteurr !

Bruno, le souriceau

Je jetai un coup d'œil, caché derrière le pied de la chaise, et je vis des centaines de jambes défiler vers la sortie de la salle de bal. Après le départ des sorcières, la salle fut plongée dans le plus profond silence. Avec précaution, je m'aventurai sur le parquet. Soudain, je me souvins de Bruno. Il devait être dans la pièce, lui aussi.

– Bruno ! appelai-je.

Quel choc ! je parlais comme avant ! Avec ma voix, ma propre voix plutôt forte !

C'était tellement merveilleux que je frémis de joie.

Je recommençai pour vérifier.

– Bruno ! répétai-je. Où es-tu, Bruno ? Si tu m'entends, pousse un cri !

Oui, vraiment, ma voix était restée exactement la même, aussi puissante que lorsque j'étais petit garçon.

– Holà ! Bruno ! Où te caches-tu ?

Aucune réponse.

Je me faufilais entre les pieds des chaises. Trottiner à ras de terre était agréable. Vous vous étonnez, sans doute, que je n'ai pas été affligé par ma transformation ? Après tout, qu'y a-t-il de si merveilleux à être un petit garçon ? Pourquoi ne serait-ce pas mieux d'être un souriceau ? Je sais bien que les souris sont chassées, quelquefois empoisonnées, ou capturées dans une souricière. Mais les enfants, aussi, sont quelquefois tués. Ils peuvent être renversés par une voiture, ou mourir d'une affreuse maladie. Les enfants doivent aller à l'école. Pas les souris ! Les souris ne passent pas d'examens. Elles n'ont aucun souci d'argent. En fait, les souris n'ont que deux ennemis : les êtres humains et les chats. Grand-mère était un être humain, mais j'étais sûr qu'elle m'aimerait toujours, quelle que soit mon apparence. De plus, grâce au ciel, elle n'avait pas de chat. Quand les souris grandissent, elles ne font pas la guerre aux autres souris. Les souris, j'en étais sûr ou presque, s'aimaient entre elles. Les êtres humains, non !

« Oui, me dis-je. Je pense que c'est très agréable d'être un souriceau. »

De-ci, de-là, je trottinais sur le parquet de la salle de bal, en songeant aux avantages d'être un souriceau plutôt que d'être un petit garçon.

Soudain, j'aperçus un autre souriceau. Il était accroupi sur le sol, et tenait un morceau de pain dans ses pattes de devant. Il le grignotait avec délice. Ce devait être Bruno.

– Bonjour, Bruno, dis-je.

Il me regarda à peine, puis continua à s'empiffrer.

– Qu'est-ce que tu as trouvé ? demandai-je.

– Une de ces femmes a laissé tomber son sandwich, répondit-il. Un sandwich au pâté de saumon, vraiment délicieux.

Bruno, aussi, parlait d'une voix normale. Un vrai souriceau m'aurait répondu par des couinements. Mais nous n'étions pas de vrais souriceaux ! C'était vraiment très amusant d'entendre la voix forte de Bruno sortir de son petit museau !

– Écoute-moi, Bruno, dis-je. Nous sommes transformés en souriceaux. Il faut réfléchir aux conséquences de cette transformation.

Bruno s'arrêta de grignoter, et me fixa de ses petits yeux bleus.

– Pourquoi as-tu dit *nous* ? demanda-t-il. Parle pour toi ! Toi, tu es devenu souriceau, mais quel rapport avec moi ?

– Mais tu es un souriceau, toi aussi, Bruno !

– Ne dis pas de sottises ! s'écria-t-il. Je ne suis pas un souriceau !

– Hélas, si, Bruno !

– Mais non ! cria-t-il. Pourquoi m'insultes-tu ? Je n'ai pas été grossier avec toi ! Alors pourquoi s'acharner sur moi, en me traitant de souriceau ?

– Tu ne sais vraiment pas ce qu'il t'est arrivé ? demandai-je.

– Mais enfin, de quoi veux-tu parler ? demanda Bruno.

– Je dois t'informer, dis-je de façon solennelle, que, il y a un instant, une sorcière t'a transformé en souriceau. Puis elle a fait de même avec moi.

– Tu mens ! cria-t-il. Je ne suis pas un souriceau. Je m'appelle Bruno Jenkins, et je suis un garçon.

– Si tu n'étais pas tellement occupé à grignoter ce sandwich, dis-je, tu aurais remarqué tes petites pattes poilues. Regarde-les

Bruno regarda ses pattes.

– Incroyable ! cria-t-il, en sursautant. Je suis un souriceau ! Que va dire mon père ?

– Il pensera peut-être que c'est mieux pour toi ! dis-je.

– Je ne veux pas être un souriceau ! cria Bruno, en bondissant sur place. Je refuse d'être un souriceau ! Je m'appelle Bruno Jenkins, et je suis un garçon !

– Ce n'est pas bien terrible d'être un souriceau, dis-je. Tu peux vivre dans un trou.

– Je ne veux pas vivre dans un trou ! cria Bruno.

– Et la nuit, dis-je, tu peux te glisser dans le placard aux provisions. Grignoter à ton aise tous les paquets de corn-flakes et de raisins secs, grignoter des biscuits au chocolat, t'empiffrer de tout ce que tu veux. Passer la nuit à te régaler ! C'est ce que font toutes les souris.

– C'est une bonne idée, dit Bruno, en se redressant un

peu. Mais comment ouvrir la porte d'un frigo pour manger du poulet froid et les restes du repas ? C'est ce que je faisais, toutes les nuits, avant d'être transformé en souriceau !

– Peut-être que ton père t'achètera un petit frigo à la taille d'une souris, rien que pour toi.

– Tu m'as dit qu'une sorcière m'avait transformé en souriceau, dit Bruno. Quelle sorcière ?

– Celle qui t'a donné une barre de chocolat, hier après-midi. Ne t'en souviens-tu pas ?

– La vieille vache dégoûtante ! s'écria-t-il. Je vais le lui faire payer. Où est-elle ? Comment s'appelle-t-elle ?

– Oublie tout ça, dis-je. Il n'y a plus rien à espérer. Le problème le plus délicat, ce sont tes parents. Comment vont-ils prendre cette nouvelle situation ? Continueront-ils à t'aimer ?

Bruno réfléchit un moment.

– Je pense que mon père sera interloqué !

– Et ta mère ?

– Elle a peur des souris !

– Voilà donc ton problème, dis-je.

– Mon problème ? dit-il. Et le tien ?

– Grand-mère comprendra facilement, répondis-je. Elle sait tout sur les sorcières.

Bruno reprit une petite bouchée de son sandwich.

– Que suggères-tu ? demanda-t-il.

– Je propose que nous allions demander conseil à Grand-mère. Elle saura exactement ce qu'il faut faire.

Je me dirigeai vers la porte de la salle restée grande ouverte. Bruno me suivit, tout en tenant son bout de sandwich dans une patte.

– Quand nous sortirons dans le couloir, dis-je, il faudra courir à vive allure le long du mur. Ne parlons plus, pour ne pas nous faire remarquer ! N'oublie jamais que si quelqu'un nous aperçoit, il tentera de nous tuer à coups de balai.

Je lui arrachai son bout de sandwich, et je le jetai dans une poubelle !

– Allons-y, dis-je. Suis-moi !

Surprise pour Grand-mère !

Aussitôt franchi le seuil de la salle de bal, je filai le long du couloir qui menait au hall d'entrée, en passant devant le salon, la bibliothèque, la salle de jeux, le fumoir. Enfin, j'arrivai devant l'escalier. Sautant comme un diablotin, je commençai à grimper les marches une à une, en me faisant tout petit contre le mur.

– Toujours derrière moi, Bruno ? murmurai-je.

– Oui, je fais ce que je peux, répondit-il.

La chambre de Grand-mère et la mienne se trouvaient au cinquième étage. C'était vraiment une dure ascension, pour des souriceaux ! Nous ne rencontrâmes personne, puisque tout le monde utilisait l'ascenseur. Arrivé au cinquième, je poursuivis ma course folle dans le couloir qui conduisait à la chambre de Grand-mère. Ses chaussures attendaient d'être cirées, devant la porte. Bruno avait fini par me rejoindre.

– Et maintenant que va-t-on faire ? dit-il.

Soudain, j'aperçus une femme de chambre, qui se dirigeait vers nous. Je la reconnus immédiatement. Il s'agissait de celle qui avait rapporté au directeur l'existence de mes souris blanches. Je ne voulais pas qu'elle me voie sous ma nouvelle peau.

– Vite, dis-je à Bruno. Cachons-nous dans les chaussures !

Je sautai dans l'une et Bruno dans l'autre. Je pensai que la femme de chambre poursuivrait son chemin. Mais non ! Elle se baissa pour ramasser les chaussures. Elle mit sa main directement dans celle où je m'étais caché. Et quand l'un de ses doigts effleura ma fourrure, je le mordis ! C'était idiot d'agir ainsi mais je le fis par pur instinct, sans réfléchir. La femme poussa un tel cri qu'on

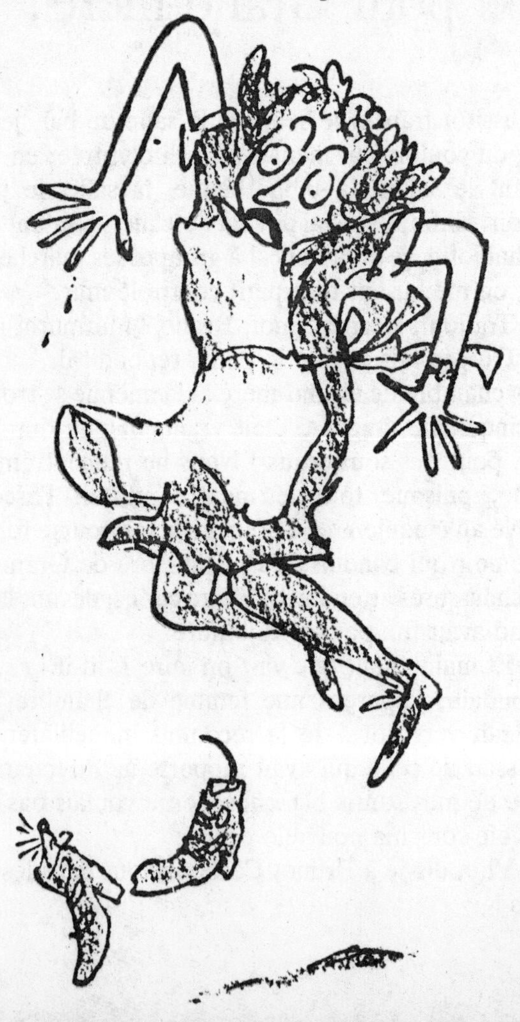

dut l'entendre sur les bateaux qui traversaient la Manche ! Elle laissa tomber les chaussures et déguerpit dans le couloir !

Grand-mère ouvrit la porte.

– Mais que se passe-t-il ? demanda-t-elle.

Je me faufilai dans sa chambre, suivi de Bruno.

– Ferme la porte, Grand-mère, criai-je. Dépêche-toi, je t'en prie !

Grand-mère regarda autour d'elle, et finit par découvrir deux souriceaux bruns sur la moquette.

– S'il te plaît, ferme la porte ! répétai-je.

C'est à ce moment-là que Grand-mère vit un souriceau qui parlait avec ma voix !

Grand-mère resta pétrifiée. On aurait dit une statue de marbre blanc. Ses yeux étaient si exorbités qu'on voyait le globe oculaire en entier. Puis, elle se mit à trembler. Elle allait s'évanouir et tomber par terre.

– S'il te plaît, Grand-mère, ferme vite la porte ! répétai-je. Cette affreuse femme de ménage pourrait revenir.

Grand-mère réussit à reprendre le dessus, et ferma la porte. Elle s'adossa contre le mur, tout en regardant le souriceau que j'étais devenu. Je vis des larmes rouler le long de ses joues.

– Ne pleure pas, Grand-mère, dis-je. Il aurait pu m'arriver pire. J'ai réussi à échapper aux sorcières, et je suis encore en vie, voilà l'important ! L'autre souriceau s'appelle Bruno.

Grand-mère se pencha très lentement vers nous, nous souleva et nous déposa sur la table. Bruno se précipita vers une jatte de bananes, et se mit à ronger la peau d'un des fruits.

Grand-mère s'agrippa aux bras d'un fauteuil pour ne pas tomber. Elle ne me quittait pas du regard.

– Assieds-toi, Grand-mère, proposai-je.

Elle s'effondra dans le fauteuil.

– Oh, mon petit ! murmura-t-elle.

Et les larmes se remirent à couler à flots le long de ses joues.

– Oh, mon pauvre petit ! répéta-t-elle. Raconte-moi comment tout cela est arrivé.

– La Grandissime Sorcière m'a transformé en souriceau, répondis-je. Mais la chose la plus curieuse est que, honnêtement, je me sens bien dans ma nouvelle peau ! Et plus curieux encore, je ne lui en veux pas ! Je me préfère en souriceau ! Je ne suis plus un petit garçon, et je sais que je ne le redeviendrai plus jamais. Mais tout ira bien, tant que tu me protégeras.

Pour Grand-mère, ce n'était pas exactement des paroles de consolation. Mais j'étais parfaitement sincère. Grand-mère devait trouver bizarre que je ne sois pas accablé par mon sort. C'était bizarre, en effet. Mais c'était ainsi. Je n'arriverai jamais à l'expliquer.

– Bien sûr, je te protégerai, murmura Grand-mère. Tu peux me redire comment s'appelle l'autre souriceau ?

– Bruno Jenkins, répondis-je. Il a été transformé aussi par la Grandissime Sorcière.

Grand-mère prit un long cigare d'une boîte dans son sac et le porta à la bouche. Elle chercha également une boîte d'allumettes. Elle frotta une allumette, mais ses doigts tremblaient tellement qu'elle ne réussit pas à allumer le bout de son cigare. Quand elle y parvint enfin, elle tira une longue bouffée et avala la fumée. Cela sembla la calmer un peu.

– Où est-ce que c'est arrivé ? demanda-t-elle. Où est la Grandissime Sorcière ? Habite-t-elle l'hôtel ?

– Grand-mère, dis-je, il n'y a pas que la Grandissime

Sorcière. Elles étaient des centaines ! Elles remplissaient toute la salle de bal ! Et elles logent à l'hôtel !

– Tu veux dire... bredouilla Grand-mère en se penchant vers moi pour me voir mieux. Tu veux dire vraiment... que les sorcières anglaises tiennent leur congrès annuel ici, dans cet hôtel ?

– Oui, Grand-mère, répondis-je. Le congrès est déjà fini. J'ai tout vu et tout entendu du début jusqu'à la fin. Toutes les sorcières anglaises et la Grandissime sont au rez-de-chaussée. Elles se font passer pour les membres de la Société Royale pour la Protection de l'Enfance Persécutée et, en ce moment, elles prennent le thé avec le directeur de l'hôtel !

– Comment t'ont-elles découvert ?

– Elles m'ont reniflé, répondis-je.

– Tu sentais le caca de chien, n'est-ce pas ? fit-elle en soupirant.

– C'est vrai, mais mon odeur était à peine perceptible, car je n'avais pas pris de bain depuis longtemps.

– Les enfants ne devraient jamais prendre de bain, opina Grand-mère. C'est une habitude dangereuse.

– Tu as raison, Grand-mère.

Elle fit une petite pause pour tirer une bouffée de son cigare.

– Elles sont vraiment au rez-de-chaussée en train de prendre le thé ? reprit-elle.

– Oui, j'en suis sûr, Grand-mère.

Il y eut une nouvelle pause. Je vis un éclair de malice briller dans ses yeux. Et soudain, elle se redressa sur son fauteuil et dit d'une voix ferme :

– Raconte-moi tout, du début jusqu'à la fin. Et vite, s'il te plaît !

Je repris ma respiration et commençai à raconter. Mon arrivée dans la salle de bal, ma cachette derrière le paravent pour entraîner mes souris blanches. Le panneau annonçant : congrès annuel de la Société Royale pour la Protection de l'Enfance Persécutée. Les femmes qui arrivaient et s'asseyaient. La petite femme, haute comme trois pommes, sur l'estrade. Le moment où elle enleva son maque. Pour décrire son visage, je ne pus trouver les mots exacts...

– C'était horrible, Grand-mère. Vraiment horrible ! Son visage était... *Son visage pourrissait !*

– Poursuis, dit grand-mère. Ne t'arrête pas.

Alors, je racontai que les sorcières avaient enlevé leurs perruques, leurs gants et leurs chaussures et que

soudain, j'avais vu leurs crânes chauves et boutonneux, leurs griffes et leurs pieds sans orteils !

Grand-mère avait rapproché son fauteuil de la table, et s'était assise sur le bord du siège. Des deux mains, elle tenait le pommeau doré de sa canne. Ses yeux scintillaient comme des étoiles.

Puis je racontai comment la Grandissime Sorcière avait fait jaillir un fulgurant éclair d'étincelles, et comment elle avait transformé une malheureuse sorcière en nuage de fumée.

– J'en avais entendu parler ! s'écria Grand-mère, toute excitée. Mais je ne l'avais jamais cru ! Tu es le premier à l'avoir vu de tes propres yeux ! Il s'agit de la punition la plus redoutable de la Grandissime Sorcière ! C'est la « punition frite ». Toutes les sorcières sont terrifiées à l'idée de passer à la poêle. On m'a dit que la Grandissime en a fait une règle, et « frit » au moins une sorcière à chaque congrès annuel pour que, après cette friture, les sorcières viennent lui lécher les orteils !

– Mais les sorcières n'en ont pas, Grand-mère !

– Je sais, mon petit, je sais, mais continue, s'il te plaît.

Je racontai le plan diabolique de la Grandissime Sorcière qui avait inventé les bonbons à retardement pour transformer tous les petits Anglais en souris !

– Je m'en doutais ! s'écria Grand-mère en bondissant sur son fauteuil. Je me doutais bien qu'elle tramait quelque chose de terrible, cette Grandissime Sorcière !

– Il faut les faire arrêter par la police ! dis-je.

– On ne peut pas arrêter une sorcière, dit Grand-mère, en me fixant dans les yeux. Pense au fulgurant pouvoir que cette terrible Grandissime Sorcière a dans les yeux ! Elle peut tuer n'importe qui, n'importe quand, n'importe où, avec ce fulgurant éclair d'étincelles. Tu l'as vu toi-même !

– Oui, Grand-mère, c'est pourquoi il faut l'empêcher de transformer tous les enfants anglais en souris.

– Tu n'as pas encore fini ton histoire, dit-elle. Raconte-moi ce qui s'est passé pour Bruno. Comment l'ont-elles transformé ?

Alors, je racontai l'arrivée de Bruno dans la salle de bal et comment je l'avais vu être changé en souris. Grand-mère regarda Bruno qui se régalait avec les bananes.

– Il ne s'arrête pas de manger ? demanda-t-elle.

– Jamais, dis-je. Peux-tu répondre à une question ?

– J'espère, dit-elle.

Elle me posa sur ses genoux. Très doucement, elle commença à caresser la fourrure de mon dos. Je me sentais bien.

– Quelle est ta question, mon petit ?

– Je ne comprends pas pourquoi, Bruno et moi, nous pouvons encore parler et penser comme lorsque que nous étions des garçons.

– C'est très simple, répondit Grand-mère. Les sorcières ne pouvaient pas vous transformer en souris à cent pour cent. Elles n'ont fait que vous rapetisser et vous donner des pattes et une fourrure. Sous l'apparence d'un souriceau, tu es toujours toi-même. Tu gardes ton âme, ton esprit et ta voix de garçon. Remercie le ciel pour cela !

– Ainsi donc, je ne suis pas vraiment un souriceau. Je suis une espèce de souriceau-enfant.

– Exactement, dit-elle. Tu es un garçon dans le corps d'un souriceau. Tu es un être à part.

Grand-mère et moi, nous restâmes silencieux un moment. Grand-mère continuait à me caresser doucement l'échine et à tirer des bouffées de son cigare. Le seul bruit que l'on pouvait entendre dans la chambre était celui des dents de Bruno qui continuait toujours à s'attaquer aux bananes ! Quant à moi, mon esprit bouillonnait et les idées les plus folles grouillaient dans mon cerveau.

– Grand-mère, j'ai une idée !

– Oui, mon petit. Laquelle ?

– La Grandissime a dit aux vieilles sorcières qu'elle logeait dans la chambre 454. Tu me suis, Grand-mère ?

– Je te suis, mon petit.

– Ma chambre porte, elle, le numéro 554, et j'habite au cinquième étage. Comme sa chambre porte le numéro 454, elle doit loger au quatrième étage.

– Tu as raison, dit Grand-mère.

– Alors, ne penses-tu pas qu'il est possible que la chambre 454 soit juste au-dessous de la chambre 554 ?

– C'est plus que probable, répondit-elle. Ces hôtels modernes sont construits comme des cubes. Mais à quoi penses-tu ?

– Pourrais-tu me mettre sur mon balcon pour que je puisse voir le balcon du dessous ?

Toutes les chambres de l'hôtel Magnificent avaient de petits balcons. Grand-mère m'emmena sur celui de ma chambre. Nous jetâmes un coup d'œil sur le balcon du quatrième étage, au-dessous.

– Si c'est son balcon, dis-je, je parie que je peux descendre d'un étage et entrer dans sa chambre.

– Pour qu'elle t'attrape à nouveau ! s'écria Grand-mère. Non, je ne veux pas.

– En ce moment, toutes les sorcières sont au rez-de-chaussée, en train de prendre le thé avec le directeur. La Grandissime ne sera de retour dans sa chambre que vers dix-huit heures. C'est l'heure à laquelle elle a donné rendez-vous aux vieilles sorcières, qui sont trop âgées pour grimper aux arbres et cueillir les œufs des grognassiers. Elle va leur donner un flacon de Potion Souris à retardement.

– Bien ! Si tu réussis à entrer dans sa chambre, que feras-tu? demanda Grand-mère.

– J'essaierai de trouver l'endroit où elle cache les flacons. Et si je réussis, j'en vole un et je le ramène ici.

– Pourras-tu transporter un flacon ?

– Oui, il s'agit d'un petit flacon, répondis-je.

– Je n'aime guère ça, dit Grand-mère. Que feras-tu de ce flacon ?

– Un seul flacon suffit pour transformer cinq cents enfants en souris. Il y a environ deux cents sorcières. On leur donnera donc au moins une double dose à chacune, et on les transformera toutes en souris !

– Quelle idée fantastique ! cria Grand-mère, en bondissant sur place. Génial ! Tu es génial, mon petit !

Il y avait un énorme vide au-dessous de moi. Je

m'apprêtai à franchir la balustrade, quand Grand-mère bondit.

– Attention, Grand-mère, tu as failli me faire tomber !

– Nous allons débarrasser l'Angleterre de toutes ses sorcières d'un seul coup ! Et, par-dessus le marché, de la Grandissime Sorcière !

– Ça vaut la peine de tenter le coup, dis-je.

– Écoute-moi, dit Grand-mère, si excitée qu'elle faillit à nouveau me faire tomber dans le vide. Si nous réussissons ce coup, ce sera la plus grande victoire de l'humanité contre les sorcières !

– Il reste encore pas mal de choses à faire, dis-je.

– Bien sûr, dit-elle. Supposons que tu réussisses à t'emparer d'un de ces flacons, comment feras-tu pour le vider dans leur nourriture ?

– Nous en reparlerons plus tard, dis-je. D'abord, il faut s'emparer d'un flacon. Mais comment être sûrs que sa chambre est juste au-dessous de la mienne ?

– Nous allons examiner cela immédiatement ! s'écria Grand-mère. Allons-y, il n'y a pas une seconde à perdre.

Me tenant dans sa main, Grand-mère sortit vite de ma chambre et courut dans le couloir. A chaque pas, sa canne frappait la moquette. On descendit l'escalier d'un étage. Au quatrième, on regarda les numéros inscrits en chiffres dorés sur les portes de chaque côté du couloir.

– Voici sa chambre ! s'écria Grand-mère. Numéro 454 !

Elle tenta d'ouvrir la porte, mais celle-ci était fermée. Elle regarda autour d'elle, à droite, à gauche, dans le long couloir vide.

– Je pense que tu as raison, dit-elle. Sa chambre est sûrement sous la tienne.

Elle revint sur ses pas, en comptant le nombre de portes entre la chambre de la Grandissime Sorcière et l'escalier. Il y en avait six. Elle remonta au cinquième et compta jusqu'à six.

– 554 ! s'écria Grand-mère. Ta chambre est juste au-dessus de la sienne !

On entra dans ma chambre et on revint sur le balcon.

– Oui, il s'agit bien de son balcon, dit Grand-mère. Et mieux encore, la porte-fenêtre qui donne sur le balcon est largement ouverte. Comment vas-tu descendre, mon petit ?

– Je ne sais pas, dis-je.

Nos chambres donnaient directement sur la plage. Mais en bas, il y avait une grille avec des barreaux pointus comme des lances. Si je ratais le balcon de la Grandissime Sorcière, j'étais fichu.

– J'ai trouvé ! s'écria Grand-mère.

Me tenant toujours dans sa main, elle courut dans sa chambre, et commença à fouiller dans une commode. Elle en sortit une grosse pelote de laine bleue, des aiguilles et une chaussette à moitié finie, qu'elle tricotait pour moi !

– Ça ira, dit-elle. Je te mets dans la chaussette et je te fais descendre en déroulant la pelote. Il faut se dépêcher. Ce monstre peut revenir dans sa chambre à n'importe quel moment !

Souriceau cambrioleur

Grand-mère se dépêcha de me ramener sur la rampe de mon balcon.

– Prêt ? me demanda-t-elle. Je vais te jeter dans la chaussette.

– Pourvu que je réussisse, dis-je. Je ne suis qu'un souriceau !

– Tu réussiras, dit-elle. Bonne chance, mon petit !

Elle me fourra dans la chaussette, et commença à dérouler la pelote de laine par-dessus la rampe. Sous la brise, la chaussette se mit à tanguer dangereusement. Je me blottis encore plus au fond de la chaussette, en retenant ma respiration. A travers les mailles, je voyais tout ce qui se passait à l'extérieur. Les enfants, qui jouaient au loin sur la plage, étaient petits comme des scarabées. Je levai les yeux et je vis la tête de Grand-mère penchée sur la rampe.

– Tu y es presque ! cria-t-elle. Allons-y doucement ! Ça y est !

Il y eut une légère secousse à l'atterrissage.

– Vas-y ! criait-elle déjà. Dépêche-toi ! Grouille-toi ! Fouille la chambre !

Je sortis de la chaussette et bondis dans la chambre de la Grandissime Sorcière. Je sentis, aussitôt, une odeur

de moisi, l'odeur infecte des sorcières, *l'odeur de pipi de chat* !

A première vue, la pièce était assez bien rangée. *Il n'y avait aucun signe extérieur de sorcellerie* ! On aurait dit que la chambre était occupée par une personne tout à fait ordinaire. Mais, au fond, c'était normal. Aucune sorcière n'aurait été assez stupide pour laisser traîner des objets compromettants que remarquerait une femme de chambre.

Soudain, une grenouille traversa la pièce en sautillant et disparut sous le lit ! Je m'élançais, quand...

– Dépêche-toi ! fit la voix de Grand-mère. Prends la potion et reviens vite !

Je fis le tour de la pièce à la recherche des flacons. Le vol du flacon n'était pas aussi facile que je l'avais cru. Par exemple, je ne pouvais ouvrir ni les tiroirs ni la porte du placard. J'arrêtai donc mon inspection, et je m'assis au milieu de la chambre pour réfléchir : « Si la Grandissime Sorcière veut cacher un objet *top secret*, où va-t-elle le mettre ? Certainement pas dans un tiroir ni dans un placard ! On le découvrirait aussitôt. » Je sautai sur le lit pour avoir une meilleure vue d'ensemble. « Oh, oh ! pensai-je. Et si c'était sous le matelas ? » Avec précaution, je descendis jusqu'au sommier. En grattant avec mes pattes de devant, je commençai à me frayer un chemin sous le matelas. Quel effort pour faire entrer ensuite mon museau et mon corps ! J'arrivai à me glisser entre le sommier et le matelas, mais j'avançais à l'aveuglette.

Tout à coup, ma tête cogna quelque chose de dur *à l'intérieur* du matelas ! Je me redressai, et je touchai la chose avec ma patte. Une petite bouteille ? Mais oui ! Je la sentais à travers la toile du matelas. Et juste à côté, un autre flacon, puis un autre, puis un autre... « Elle a

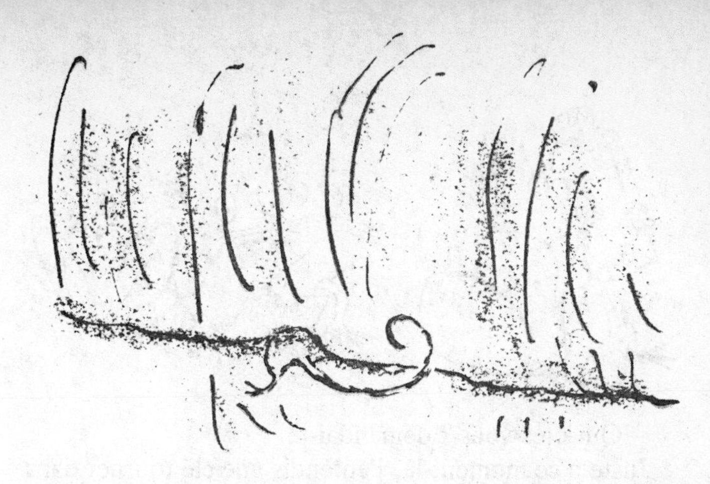

ouvert le matelas, pensai-je, et l'a bourré de flacons ! »

Frénétiquement, je me mis à déchirer, avec mes dents, la toile. Mes dents de devant étaient très pointues ! Je fis rapidement un grand trou. Je me faufilai à l'intérieur du matelas et j'attrapai un flacon par le goulot. Je poussai le flacon à travers le trou et je sortis derrière lui.

Tout en tirant le flacon et en marchant à reculons, j'atteignis le bord du matelas. Je fis rouler le flacon sur la moquette. Il rebondit mais ne se brisa pas. Je sautai par terre. J'examinai le flacon, qui ressemblait tout à fait à celui qu'avait brandi la Grandissime Sorcière au Congrès. Et je lus sur l'étiquette : *Formule 86. Potion Souris à retardement. Attention, ce flacon contient cinq cents dose !* Victoire ! Je me sentais très fier de moi !

Trois grenouilles sortirent de dessous le lit en sautillant. A croupetons sur la moquette, elles me fixèrent de leurs gros yeux noirs, d'énormes yeux tristes, mais tristes... Alors, il me vint à l'esprit : « Sans doute, ces grenouilles ont-elle été des enfants, avant de tomber entre les griffes de la Grandissime Sorcière ! »

– Qui êtes-vous ? demandai-je.

Juste à ce moment-là, j'entendis une clé tourner dans la serrure. La porte claqua, et la Grandissime Sorcière entra dans sa chambre comme une reine ! Les grenouilles sautèrent à nouveau sous le lit. Je me précipitai derrière elles, tenant toujours mon flacon, et je courus me cacher entre le mur et l'un des pieds du lit. J'entendais bien, sur la moquette, les pas de la Grandissime Sorcière. Je jetai un coup d'œil hors de ma cachette. Les trois grenouilles s'étaient regroupées sous le lit.

Les grenouilles ne peuvent pas se cacher comme les souris. Elles ne peuvent pas courir non plus. Tout ce qu'elles peuvent faire, les pauvres bêtes, c'est de sautiller çà et là, plutôt maladroitement.

Soudain, la Grandissime Sorcière se mit à regarder sous le lit. Je cachai vite le museau.

– Ah! vous voilà, mes grrenouillettes ! dit-elle. Vous pouvez rrester blotties là un moment ! Mais, avant de me coucher, je vous jetterrai parr la fenêtrre. Quel bon rrepas pour les mouettes !

Et voilà que la voix de Grand-mère retentit, forte et claire :

– Dépêche-toi, mon petit ! Grouille-toi ! Sors vite de là, avant qu'il ne soit trop tard !

– Qui parrle ? aboya la Grandissime Sorcière.

Je jetai à nouveau un coup d'œil hors de ma cachette, et je la vis se diriger vers la porte-fenêtre.

– Qu'est-ce que c'est que ce trrouc surr mon balcon ? grommela-t-elle. A qui appartient cette saleté ! Qui a osé pollouer mon balcon ?

Elle sortit sur le balcon.

– Que fait donc ce fil de laine à pendouiller ?

– Oh, bonjour ! s'écria Grand-mère. J'ai fait tomber par mégarde la chaussette que je tricotais. Mais ce n'est pas grave, j'ai encore la pelote ! Je peux faire remonter mon ouvrage, toute seule, merci tout de même.

J'admirais le calme de sa voix.

– A qui parrliez-vous à l'instant ? demanda sèchement la Grandissime Sorcière. A qui avez-vous demandé de se grrouiller et de sorrtirr vite de là, avant qu'il ne soit trrop tarrd ?

– Je m'adressais à mon petit-fils, répondit Grand-mère. Ça fait des heures qu'il est dans la baignoire ! Il lit des livres, et il oublie complètement où il se trouve. Avez-vous des enfants, ma petite ?

– Sourrtout pas ! hurla la Grandissime Sorcière.

Furieuse, elle fit claquer la porte-fenêtre derrière elle. J'étais *cuit* ! La sortie de secours était bloquée. J'étais coincé dans cette pièce, avec la Grandissime Sorcière. Maintenant, j'étais aussi terrifié que les trois grenouilles. Si jamais j'étais repéré, elle me jetterait par la fenêtre pour le dîner des mouettes !

On frappa à la porte.

– Qu'y a-t-il encorre ? gronda-t-elle.

– Ce sont les vieilles, dit une voix chevrotante derrière la porte. Il est six heures, et nous sommes venues chercher les flacons que vous nous aviez promis, ô Magnanime !

La « Magnanime » se dirigea vers la porte, et l'ouvrit. Puis, je vis un groupe de chaussures commencer à entrer dans la pièce. Elles avançaient lentement, en hésitant, ces chaussures, comme si leurs propriétaires avaient peur d'entrer.

– Entrrez ! Entrrez ! aboya la Grandissime Sorcière. Ne rrestez pas dans le couloirr en grrelottant ! Je n'ai pas toute la nouit à vous consacrrer !

Je saisis l'occasion au vol ! Je jaillis de ma cachette et filai comme l'éclair vers la porte encore ouverte. Je bondis au-dessus de plusieurs paires de chaussures et, en trois secondes, j'étais dehors, dans le couloir, avec le précieux flacon serré contre ma poitrine.

Personne n'avait crié : « Une souris ! Une souris ! » Tout ce que j'avais entendu, c'étaient les voix des vieilles sorcières marmonnant des fadaises du style : « Comme Votre Magnanime est généreuse ! », et d'autres sornettes.

Je courus allégrement dans le couloir vers l'escalier. Je grimpai les marches jusqu'au cinquième. Mon couloir...

La porte de ma chambre ! Heureusement, personne en vue.

En utilisant le fond de mon flacon, je commençai à taper, taper sur la porte. Tap tap tap tap... Tap tap tap... Tap tap tap... « Grand-mère m'entendra-t-elle ? pensai-je. Oui, sûrement. » Le flacon faisait un grand tap à chaque fois. Tap tap tap... Tap tap tap... J'en profitai, tant que personne ne passait dans le couloir.

Mais la porte ne s'ouvrait pas. Il fallait prendre le maximum de risques.

– Grand-mère ! criai-je de toutes mes forces. Grand-mère, c'est moi ! Ouvre-moi !

J'entendis, enfin, des pas dans ma chambre. Et la porte s'ouvrit. Je rentrai comme un boulet de canon.

– J'ai réussi, Grand-mère ! criai-je, en bondissant trois fois en l'air. Je l'ai ! Regarde, elle est là, la potion ! J'en ai pris un plein flacon !

Grand-mère referma le verrou. Elle se pencha sur moi, me prit et me porta contre son cœur.

– Oh, mon petit ! s'écria-t-elle. Dieu merci, tu es sain et sauf !

Elle lut l'étiquette :

– *Formule 86. Potion Souris à Retardement. Attention ce flacon contient cinq cents doses !* Bravo ! Tu es génial, mon petit garçon ! Fantastique ! Formidable ! Mais comment as-tu réussi à t'échapper ?

– Je me suis enfui quand les vieilles sorcières sont venues chercher leurs flacons. C'était risqué, et je n'aimerais pas recommencer !

– J'ai vu la Grandissime Sorcière, dit Grand-mère.

– Je sais, je vous ai entendues discuter. Tu ne penses pas qu'elle est complètement givrée ?

– C'est une criminelle ! dit Grand-mère. C'est la plus diabolique sorcière du monde entier !

– As-tu vu son masque ! demandai-je.

– Oui, c'est stupéfiant, répondit Grand-mère. On dirait un vrai visage. Si je n'avais pas su qu'il s'agissait d'un masque, je n'aurais jamais pu deviner. Oh, mon petit, je ne pensais plus te revoir ! Que je suis heureuse que tu aies réussi à lui échapper !

Et elle me serra fortement contre son cœur.

Les parents de Bruno

Grand-mère me ramena dans sa chambre, et me posa sur la table ainsi que le précieux flacon.

– A quelle heure dînent ces sorcières ? demanda-t-elle.

– A huit heures, répondis-je.

– Il est six heures dix, dit-elle en regardant sa montre. Il va falloir attendre plus d'une heure pour déclencher la prochaine opération...

Soudain, ses yeux tombèrent sur Bruno. Il était toujours dans la jatte remplie de bananes. Il en avait mangé trois, et il s'attaquait à une quatrième. Il était devenu énorme !

– Ça suffit, dit Grand-mère en le posant sur la table. Il est temps qu'on ramène ce glouton au sein de sa famille. Tu es d'accord, Bruno ?

Bruno montra les dents ! Je n'avais jamais vu une souris se mettre en colère !

– Mes parents me laissent manger autant que je veux, cria-t-il. Je préfère être avec eux qu'avec vous !

– Bien sûr, dit Grand-mère. Sais-tu où se trouvent tes parents en ce moment ?

– Ils étaient dans le salon, répondis-je. Je les ai aperçus, tout à l'heure.

– Bien, fit Grand-mère. Allons voir s'ils y sont encore.

Elle se tourna vers moi, et ajouta :

– Veux-tu venir, toi aussi, mon petit ?

– Oh, oui, s'il te plaît ! dis-je.

– Je vais vous mettre tous les deux dans mon sac à main. Mais restez sages ! Si vous voulez jeter un coup d'œil de temps à autre, ne montrez que le bout de vos moustaches !

Son sac à main était un grand sac ventru en cuir noir avec une fermeture en écaille de tortue. Elle nous fourra, Bruno et moi, au fond du sac.

– Je ne ferme pas le sac, dit-elle. Mais attention, pas plus que le bout de vos moustaches !

Je n'avais nullement l'intention de rater le spectacle. Je voulais assister à tout ce qui allait se passer avec les parents de Bruno. Je me plaçai dans une petite poche intérieure, près de l'ouverture, et de là, je pouvais sortir mon museau quand je le voulais.

– Hé là ! cria Bruno. Donnez-moi le reste de la banane que j'avais entamée !

– Oh, d'accord, dit Grand-mère. N'importe quoi pour te faire taire !

Elle jeta le reste de banane au fond du sac !

Puis elle quitta sa chambre, le sac au bras. En frappant le sol de sa canne, elle parcourut le couloir jusqu'à l'ascenseur. Elle prit l'ascenseur, descendit au rez-de-chaussée et se dirigea vers le salon.

Et là, en effet, étaient assis Mme et M. Jenkins dans deux fauteuils séparés par une table basse et ronde, en verre. Il y avait plusieurs autres personnes dans le salon, mais les Jenkins était le seul couple un peu à l'écart. Mme Jenkis tricotait un pull-over de couleur moutarde, et M. Jenkins lisait un journal. Seuls, mon nez et mes yeux dépassaient du sac de Grand-mère, mais j'avais une vue superbe !

Grand-mère, dans sa robe en dentelle noire, s'avança vers eux, en frappant le sol de sa canne. Elle s'arrêta juste devant la table basse.

– Êtes-vous madame et monsieur Jenkins ? demanda-t-elle.

M. Jenkins leva les yeux au-dessus de son journal.

– Oui, dit-il en fronçant les sourcils. Je suis bien monsieur Jenkins. Que puis-je pour vous, madame ?

– Je vais vous annoncer une mauvaise nouvelle, dit Grand-mère. Elle concerne votre fils, Bruno.

– Mon fils, Bruno ? dit M. Jenkins.

Mme Jenkins leva les yeux tout en continuant à tricoter.

– Qu'a-t-il encore fait, le petit scorpion ? demanda M. Jenkins. Il a dévalisé la cuisine ?

– Bien pire, dit Grand-mère. Pourrions-nous aller dans un endroit un peu plus discret pour que je vous raconte ce qui lui est arrivé ?

– Un endroit plus discret ? reprit M. Jenkins. Et pourquoi donc ?

– C'est difficile à expliquer, dit Grand-mère. Je préférerais que nous allions, tous les trois, dans votre chambre, et que nous soyons bien assis, avant que je ne vous en dise plus.

– Je ne veux pas monter dans ma chambre, madame, dit M. Jenkins. Je suis très bien assis, ici, merci beaucoup !

Ce grossier bonhomme n'avait visiblement pas l'habitude qu'on le dérange, quand il lisait son journal !

– Exposez tranquillement votre affaire, et puis laissez-nous en paix.

On aurait dit qu'il s'adressait à quelqu'un qui voulait lui vendre un aspirateur !

Pauvre Grand-mère ! Elle qui faisait de son mieux pour être aussi gentille que possible ! Elle commença à le prendre mal.

– Nous ne pouvons pas parler ici, dit-elle. Il y a beaucoup trop de personnes, et c'est une affaire plutôt délicate et personnelle.

– La barbe ! Je parle où je veux, madame, dit M. Jenkins. Grouillez-vous, qu'on en finisse ! Si Bruno a brisé un carreau ou marché sur vos lunettes, je vous dédommagerai, mais je ne bougerai pas de mon fauteuil.

Dans le salon, un ou deux groupes de personnes commencèrent à nous regarder.

– Où est Bruno d'ailleurs ? demanda M. Jenkins. Dites-lui de venir s'expliquer.

– Il est déjà là, dit Grand-mère. Il est dans mon sac à main.

Elle tapota le grand sac de cuir avec sa canne.

– Que diable racontez-vous ? Qu'il est dans votre sac ? cria M. Jenkins.

– C'est une plaisanterie ? ajouta Mme Jenkins, d'un air pincé.

– Pas du tout, dit Grand-mère. Il est arrivé une fâcheuse mésaventure à votre fils.

– Il lui arrive tout le temps des mésaventures, dit M. Jenkins. Quand il ne mange pas, il rote. Vous devriez l'entendre après un repas. Il rote comme mille trompettes ! Heureusement, une bonne dose d'huile de castor arrange tout ça. Où est-il donc, ce petit misérable ?

– Je vous l'ai déjà dit, répondit Grand-mère. Il est dans mon sac à main ! Et je continue à penser qu'il vaudrait mieux aller dans un endroit moins public, avant que vous découvriez son nouvel aspect.

– Cette femme est folle ! s'écria Mme Jenkins. Dis-lui de partir.

– A dire vrai, poursuivit Grand-mère, votre fils, Bruno, a été complètement transformé !

– Partez, vieille folle ! cria Mme Jenkins.

– J'essaie de vous faire comprendre, le plus gentiment possible, que Bruno est vraiment dans mon sac, dit Grand-mère. Mon propre petit-fils les a vues expérimenter leur truc sur votre fils.

– Qui a vu qui faire quoi sur mon fils, pour l'amour du ciel ? cria M. Jenkins.

Il avait une moustache noire qui tressautait lorsqu'il élevait la voix.

– Mon petit-fils a vu les sorcières transformer votre fils en souris ! dit Grand-mère.

– Appelle le directeur, mon chéri, dit Mme Jenkins à son mari. Il faut que cette femme soit renvoyée de l'hôtel.

Grand-mère était à bout de patience. Elle fouilla dans son sac et en sortit Bruno, qu'elle déposa sur la table basse. M. Jenkins jeta un regard stupéfait sur le gros souriceau brun qui mangeait toujours son bout de banane. Mme Jenkins, elle, poussa un tel cri que les cristaux du lustre tintèrent ! Elle bondit hors de son fauteuil en hurlant :

– Une souris ! Une souris ! Chasse-la ! Je ne peux pas supporter les souris !

– C'est Bruno ! dit Grand-mère.

– Espèce de vieille sorcière ! vociféra M. Jenkins.

Il se mit à frapper Bruno de son journal, pour le chasser. Grand-mère se précipita et réussit à rattraper le souriceau avant qu'il ne lui arrive malheur. Mme Jenkins continuait à crier à tue-tête. M. Jenkins s'était levé de son fauteuil, et il nous dominait de sa haute taille en hurlant de plus belle :

– Dehors ! Comment osez-vous effrayer ma femme ! Reprenez votre sale souris et filez !

– Au secours ! criait Mme Jenkins.

Elle était plus blanche que le ventre d'un poisson !

– Bien, j'ai fait de mon mieux, dit Grand-mère.

Sur ce, elle leur tourna le dos et repartit en emmenant Bruno.

Une idée géniale !

De retour dans sa chambre, Grand-mère nous sortit de son sac, Bruno et moi, et nous posa sur la table.

– Voyons, Bruno, pourquoi n'as-tu pas dit à ton père qui tu étais ? demanda-t-elle.

– J'avais la bouche pleine, répondit Bruno.

Et il courut aussitôt vers la jatte de bananes poursuivre son repas.

– Quel vilain petit garçon ! lui dit Grand-mère.

– Pas garçon, dis-je, souriceau !

– D'accord, mon petit... Mais nous n'avons pas de temps à perdre avec lui, ce soir. Il faut réfléchir à un plan. Dans une heure et demie, toutes les sorcières vont descendre dîner au restaurant de l'hôtel ?...

– Oui, approuvai-je.

– Et il faudra administrer à chacune une dose de la potion, poursuivit-elle. Comment allons-nous faire ?

– Grand-mère, dis-je, tu oublies qu'un souriceau peut se glisser dans des endroits inaccessibles aux humains...

– Tout à fait exact, dit-elle. Mais tout de même, tu vois un souriceau courir sur la nappe et verser une dose de potion dans le rosbif des sorcières, sans se faire repérer ! ?

– Je ne pensais pas faire cela dans la salle du restaurant, dis-je.

– Alors, où ? demanda-t-elle.

– Dans la cuisine, dis-je. Pendant qu'on prépare le repas des sorcières !

Grand-mère me regarda, bouche bée.

– Mon petit garçon, murmura-t-elle. Je crois vraiment que, depuis que tu es une souris, tu es deux fois plus intelligent !

– Un souriceau peut se faufiler dans une cuisine, parmi les casseroles et les poêles, sans se faire remarquer, s'il fait très attention !

– Extraordinaire ! s'écria Grand-mère. Tu as trouvé une idée géniale !

– Le seul problème, dis-je, est de savoir ce qu'elles vont manger. Je ne veux pas mettre la potion dans une autre casserole. Quel désastre, si je transformais tous les clients de l'hôtel en souris ! Et surtout toi, Grand-mère !

– Écoute, j'ai un plan ! Tu te glisses dans la cuisine, tu trouves une bonne cachette, tu observes, et tu écoutes... Tu restes bien caché, dans le noir, et tu écoutes... Tu écoutes avec beaucoup d'attention ce que disent les cuisiniers... Chaque fois qu'il y a une très grande assemblée, le repas est préparé à part... Avec un peu de chance, quelqu'un te donnera la solution...

– D'accord, dis-je. C'est ce que je ferai. Je me cacherai dans la cuisine, j'ouvrirai l'œil, et j'écouterai de mes deux oreilles. J'espère que j'aurai un peu de chance.

– Ce sera très dangereux, dit Grand-mère. Une souris n'est jamais la bienvenue dans une cuisine. Si l'on te voit, on t'écrasera.

– On ne me verra pas, dis-je.

– N'oublie pas que tu transportes le flacon, ajouta-t-elle. Tu seras moins rapide et moins agile.

– Je peux courir très vite avec le flacon entre les pattes, dis-je. Je l'ai déjà fait, tu te rappelles ? Quand je me suis échappé de la chambre de la Grandissime Sorcière.

– Mais comment vas-tu dévisser le couvercle ? dit-elle. Cela doit être difficile pour toi.

– Laisse-moi essayer.

Je pris le flacon entre mes pattes de devant, et je réussis à dévisser le couvercle sans aucune difficulté.

– Formidable, dit Grand-mère. Tu es vraiment un souriceau très habile. A sept heures et demie, je descendrai au restaurant, et tu seras caché dans mon sac à main. Je te libérerai sous la table. A partir de là, tout repose sur toi. Il faudra traverser, incognito, la salle de restaurant, puis entrer dans la cuisine. Les serveurs sont tout le temps en train d'y entrer ou d'en sortir. Au bon moment, tu te glisses derrière l'un d'eux. Mais pour l'amour du ciel, fais attention à ce que l'on ne te piétine pas ou que la porte ne se referme pas sur toi.

– Je ferai attention, dis-je.

– Et quoi qu'il arrive, il ne faut pas qu'on te capture.

– Assez, Grand-mère, tu vas me donner la frousse.

– Tu es un souriceau très courageux, dit-elle. Et je t'aime.

– Que va-t-on faire de Bruno ? demandai-je.

– Je viens avec vous, répondit Bruno, la bouche pleine. Je ne veux pas rater le dîner.

Grand-mère réfléchit un bon moment.

– Je t'emmène, dit-elle, si tu promets de rester tranquille dans mon sac.

– Vous me passerez de la nourriture sous la table ? demanda Bruno.

– Oui, dit-elle, si tu promets.

– Promis ! dit Bruno.

– Veux-tu manger quelque chose, toi aussi, mon petit ? me demanda Grand-mère, en se tournant vers moi.

– Non, merci, dis-je. Je suis trop excité pour manger. Il faut que je sois en pleine forme pour le travail qui m'attend.

– C'est une grande tâche, en effet, dit Grand-mère.

Dans la cuisine

– Il est temps d'agir, dit Grand-mère. Le grand moment est arrivé ! Prêt, mon petit ?

Il était exactement sept heures et demie. Dans la jatte, Bruno finissait sa quatrième banane.

– Attendez un peu, dit-il. Je n'ai pas fini !

– Non, dit Grand-mère. Il faut y aller !

Elle le prit fermement dans la main. Je ne l'avais jamais vue aussi tendue et nerveuse.

– Je vais vous mettre tous les deux dans mon sac, ajouta-t-elle. Mais je laisserai la fermeture ouverte.

Elle fourra Bruno en premier. Moi, j'attendais, en serrant bien le flacon.

– A ton tour, mon petit, dit-elle.

Elle me souleva et me donna un baiser sur le museau.

– Bonne chance, mon petit. Tu as une queue, tu le sais ?

– Une quoi ? demandai-je.

– Une queue ! répéta Grand-mère. Une longue queue qui peut te servir dans la cuisine.

– Je n'y avais jamais pensé. Saperlotte, quelle queue ! Je ne vois plus qu'elle maintenant ! Je peux même la remuer. Elle est vraiment très longue !

– J'en ai parlé, dit Grand-mère, parce qu'elle pourrait t'être utile. Tu peux en faire un lasso pour attraper des objets. Tu peux même te balancer au bout, comme une liane et mieux, descendre ou monter les étagères.

– Dommage que je ne l'ai pas su plus tôt, dis-je. Je me serais entraîné.

– Trop tard maintenant, dit Grand-mère. Il faut partir.

Elle me fourra au fond du sac, mais je repris vite mon perchoir habituel dans la petite poche, mon poste d'observation en quelque sorte.

Grand-mère prit sa canne et sortit dans le couloir. Elle se dirigea vers l'ascenseur. Elle appuya sur le bouton, et la cabine monta au cinquième. Elle était vide.

– Écoute, dit-elle, je ne te parlerai pas beaucoup quand nous serons dans la salle de restaurant. On me prendrait pour une folle qui radote !

L'ascenseur s'arrêta avec une petite secousse. Nous étions déjà au rez-de-chaussée. Grand-mère traversa le hall et entra dans la salle de restaurant. C'était une pièce immense avec des dorures au plafond et de grands miroirs sur les murs. Tous les clients de l'hôtel avaient leurs tables réservées. La plupart étaient déjà installés à table et commençaient à manger. Les serveurs s'activaient dans la salle, transportant des assiettes et des plats.

Notre table était située contre un mur, au milieu de la pièce. Grand-mère la rejoignit et s'assit.

De mon perchoir, je voyais, au milieu de la salle, deux longues tables qui n'étaient pas encore occupées. Sur chacune, il y avait un petit écriteau avec la mention : « Réservée aux membre de la S.R.P.P.E.P. »

Grand-mère regarda ce deux longues tables, sans rien dire. Elle déplia sa serviette et la posa sur son sac. Sa main glissa sous la serviette et m'attrapa avec douceur.

– Je vais te poser par terre, murmura-t-elle. La nappe descend jusqu'au sol, et personne ne te verra. Tu as toujours le flacon ?

– Oui, chuchotai-je. Je suis prêt, Grand-mère.

C'est à ce moment-là qu'un serveur, habillé de noir, s'arrêta devant notre table. Je voyais ses jambes sous la serviette, et je reconnus aussitôt sa voix. Il s'appelait William.

– Bonsoir, madame, dit-il à Grand-mère. Où est passé le jeune monsieur ?

– Il ne se sentait pas très bien, répondit Grand-mère. Il est resté dans sa chambre.

– Je suis vraiment désolé pour lui, dit William. Ce soir, nous avons de la soupe aux pois, comme entrée, et comme plat principal, vous avez le choix entre un filet de sole braisé ou du rôti d'agneau.

– Une soupe de pois et un rôti d'agneau, s'il vous plaît, commanda Grand-mère. Mais ne vous pressez pas, William. En fait, vous pourriez m'apporter un verre de madère en apéritif.

– Bien volontiers, madame, dit William, et il repartit.

Grand-mère fit comme si elle avait fait tomber quelque chose, et elle se baissa pour me poser par terre, sous la table.

J'étais seul à présent, avec mon précieux flacon. Je savais exactement où se trouvait la porte d'entrée de la cuisine. Il ne fallait surtout pas traverser la salle en passant de table en table, c'était trop risqué ! Il me fallait raser les murs jusqu'à la porte de la cuisine.

Je courus ! Comme l'éclair, je filai ! Et personne ne m'aperçut. Tous les gens plongeaient le nez dans leur assiette. Mais pour atteindre la porte de la cuisine, il fallait traverser l'entrée de la salle de restaurant. J'étais sur le point de le faire, lorsque jaillit un groupe de femmes. Je me collai vite contre le mur. Au début, je vis seulement les chaussures et les chevilles de ces femmes, mais quand je jetai un coup d'œil vers le haut, je vis que c'étaient les sorcières !

J'attendis qu'elles passent, puis je filai vers la porte de la cuisine. Un serveur l'ouvrit pour y entrer. Je me glissai à sa suite et me cachai contre une poubelle. Je restai là plusieurs minutes, écoutant tout.

Quel endroit infernal ! Quelle vapeur ! Quel boucan avec le tintamarre des casseroles et le vacarme des cuisiniers et des marmitons ! Les serveurs entraient et sortaient sans cesse en hurlant les commandes : « Quatre soupes, deux agneaux et deux soles, pour la table vingt-huit ! Trois tartes aux pommes et deux sorbets à la fraise pour le dix-sept ! »

Au-dessus de moi, pas très haut, il y avait une poignée pour soulever la poubelle. Tout en tenant le flacon, je bondis et j'accrochai le bout de ma queue à cette poignée ! Et je me balançai à droite, à gauche, de bas en haut ! C'était formidable ! J'adorais ça ! « Voilà ce que ressent un trapéziste quand il saute dans le vide, d'un trapèze à l'autre. La seule différence est que, moi, je peux me balancer de haut en bas ! Ma queue peut me faire voltiger dans toutes les directions. Peut-être deviendrai-je une souris de cirque plus tard ? »

C'est à ce moment-là qu'arriva un serveur, un plateau à la main.

– La vieille rombière de la table quatorze trouve sa viande trop dure ! Elle réclame un meilleur morceau !

– Donne-moi son assiette, dit l'un des cuisiniers.

Je me laissai tomber par terre pour mieux voir la scène derrière ma poubelle. Je jetai un coup d'œil et je vis le cuisinier gratter le morceau de viande, puis lui donner une claque !

– Allons, les marmitons, un peu de sauce ! dit-il.

Il fit le tour de la cuisine, et devinez ce qui se passa ? Les cuisiniers et les marmitons crachèrent dans l'assiette de la vieille dame !

– On va voir maintenant si sa viande lui convient ! dit le cuisinier en rendant l'assiette au serveur.

Presque aussitôt surgit un autre serveur, qui cria :

– Les membres de la S.R.P.P.E.P. réclament leur soupe !

Vite, je remontai au sommet de la poubelle et j'en fis le tour en ouvrant grand les yeux et les oreilles.

Le chef, avec sa grande toque blanche, ordonna :

– Mettez la soupe des congressistes dans la grande soupière en argent.

Il plaça une immense soupière sur un banc de bois qui se trouvait le long du mur, en face de moi.

« C'est dans cette soupière que je vais mettre la potion ! » pensai-je.

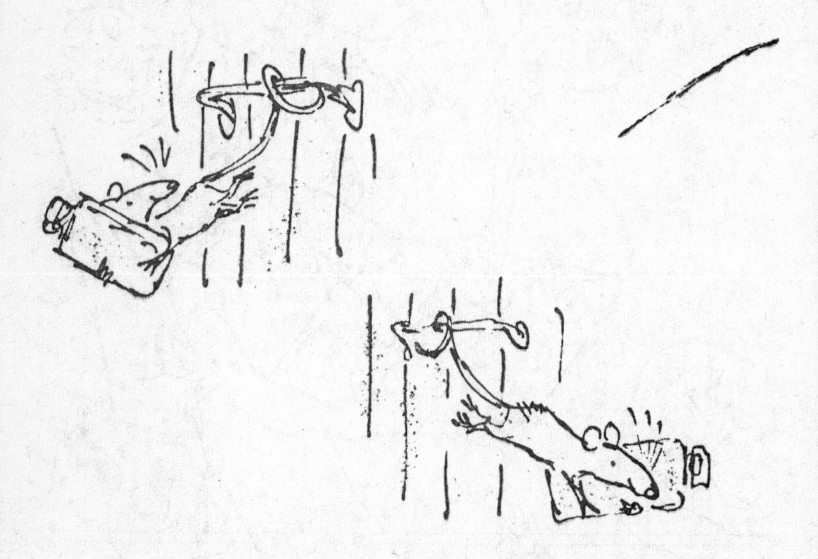

Je remarquai que, près du plafond, il y avait une longue étagère où étaient entassées des casseroles et des poêles.

« Si j'arrive à grimper sur cette étagère, me dis-je, alors, j'aurais gagné. Je pourrai directement verser la potion dans la soupière en argent. »

Mais d'abord, il fallait traverser la cuisine. Il me vint une idée géniale ! J'accrochai le bout de ma queue à la poignée de la poubelle, et je me mis à me balancer de haut en bas, de plus en plus haut. Et puis, brusquement, je décrochai ma queue de la poignée, et je fus propulsé avec une telle force que je traversai toute la cuisine et que j'atterris sur l'étagère du milieu.

« Dieu du ciel ! pensai-je. Quels prodiges peut-on faire avec une queue de souris ! Et dire que je ne suis qu'un débutant ! »

Personne ne m'avait vu. Sur cette étagère, je découvris une tuyauterie d'eau. Excellent moyen pour grimper sur l'étagère supérieure. En moins de temps qu'il ne faut pour le dire, j'étais sur la plus haute étagère parmi les casseroles et les poêles. Je savais que personne ne pouvait me voir perché là-haut. C'était la meilleure position stratégique. J'avançai, j'avançai jusqu'à me trouver juste au-dessus de la grande soupière en argent. Je dévissai le couvercle de mon flacon. Je rampai vers le bord de l'étagère, et, vite, je fis couler la potion dans la soupière. Il était temps, l'un des cuisiniers arrivait avec une gigantesque casserole de soupe fumante, qu'il versa dans la soupière.

– La soupe pour les congressistes est prête ! dit-il.

Un serveur emporta la soupière en argent.

Ouf ! j'avais réussi ! Même si je ne sortais pas vivant de la cuisine, les sorcières auraient toujours goûté à la Potion Souris à retardement !

Je cachai le flacon vide derrière une grande casserole, et je pris le chemin du retour. C'était plus facile sans flacon et je pouvais utiliser ma queue plus aisément. Je me balançai à la poignée d'une casserole, et puis je m'amusai à sauter de poignée en poignée ou tout le long de l'étagère. En bas, les cuisiniers cuisinaient, les marmitons marmitonnaient, les serveurs servaient, les bouilloires bouillonnaient, les casseroles crachotaient ! Et moi, je ne pensai qu'à moi : « Ça c'est la vie, mon souriceau ! Que c'est drôle de pouvoir voltiger de queue en queue avec ma queue ! » Je faisais de merveilleuses pirouettes et des bonds de plus en plus prodigieux d'une poignée à l'autre. Je m'amusai tellement que j'avais complètement oublié que tout le monde pouvait me voir dans la cuisine.

Les événements se déroulèrent si vite que je n'eus pas le temps d'y échapper. J'entendis un homme s'écrier :

– Une souris ! Une sale souris !

Je jetai un rapide coup d'œil à l'homme à la toque blanche, et puis je vis jaillir un éclair d'acier. C'était un couteau qui volait. J'eus, soudain, très mal à la queue, et je tombai… tombai, tête la première, dans le vide.

Le bout de ma queue avait été coupé, et j'allai m'écraser au sol, à la merci de tous les cuisiniers.

– Une souris ! criaient-ils. Une souris ! Il faut vite l'écraser !

J'atterris, rebondis sur le sol et repartis au triple galop. J'étais cerné par de grandes bottes noires qui s'avançaient vers moi. Je réussis à me glisser entre deux

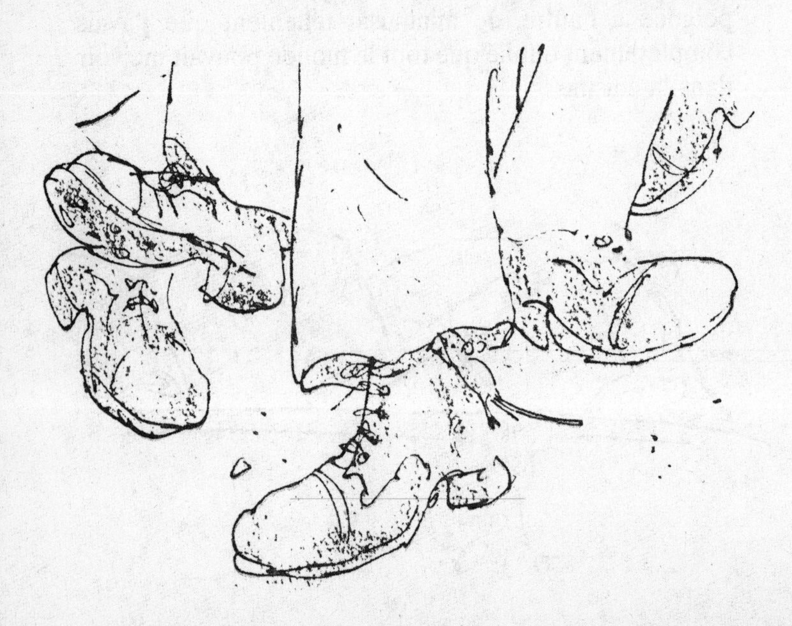

bottes, et je me mis courir en zigzag. Les bottes me poursuivaient. Il en venait de partout.

– Attrapez-la ! criaient les gens. Tuez-la ! Écrasez-la !

Je poursuivis ma course folle, mais il y avait toujours une botte noire devant moi. Ne sachant plus que faire, je grimpai à l'intérieur d'une jambe de pantalon, et je me cramponnai à la chaussette.

– Holà ! Eh ! cria l'homme. Elle remonte dans ma jambe de pantalon ! Je l'aurai cette fois ! Je vais l'assommer !

Les mains de l'homme commencèrent à frapper fort sur la jambe de son pantalon. Si je ne voulais pas finir écrasé, il me fallait agir très vite. Il n'y avait qu'une seule sortie possible, et elle était là-haut. Je plantai mes petites griffes dans les mollets poilus de l'homme, et je commençai l'ascension de sa jambe : le genou, la cuisse...

– Holà ! Hé là ! cria l'homme. Elle remonte ! Elle remonte dans mon pantalon.

J'entendis les autres cuisiniers hurler de rire, mais je peux vous promettre que je ne riais pas. Je grimpai pour sauver ma vie. L'homme continuait à donner des coups à son pantalon, et il sautillait comme s'il était sur des charbons ardents. Bientôt j'atteignis le sommet de la jambe du pantalon. Et je ne voyais pas d'issue !

– Au secours ! criait l'homme. Elle tourne autour de mon caleçon ! Va-t'en, sale souris ! Quelqu'un peut-il m'aider à la faire sortir ?

– Enlève ton pantalon, imbécile ! cria quelqu'un. Enlève aussi ton caleçon, et nous l'attraperons !

J'étais entre les deux jambes du pantalon, près de la fermeture éclair. Il faisait noir et chaud.

Je ne pouvais rester là, la seule issue était de dégringoler l'autre jambe. Je me laissai tomber, et me retrouvai à terre. J'entendais toujours le stupide cuisinier crier encore :

– Elle est dans mon pantalon ! Va-t'en, sale souris ! S'il vous plaît, aidez-moi à la chasser. Elle va me mordre.

Je jetai un rapide coup d'œil sur les cuisiniers. Tous réunis, ils riaient aux éclats, et aucun ne fit attention au souriceau brun qui fila et plongea dans un sac de pommes de terre. Je me cachai en retenant mon souffle.

– Elle était là ! Je jure qu'elle était là ! criait l'homme. Vous n'avez jamais eu une souris dans votre pantalon ! Vous ne savez pas ce que c'est !

Le fait qu'une petite créature comme moi ait provoqué une telle agitation parmi un groupe d'adultes me

réjouissait fort ! Je ne pus m'empêcher de sourire malgré ma douleur.

Je restai dans ma cachette jusqu'à ce qu'ils m'aient complètement oublié. Puis je me mis à ramper parmi les pommes de terre, et, prudemment, j'avançai le museau hors du sac. J'aperçus le serveur qui était entré après moi.

– Eh, les gars ! s'exclama-t-il. J'ai demandé à la vieille rombière si la nouvelle tranche de viande était moins

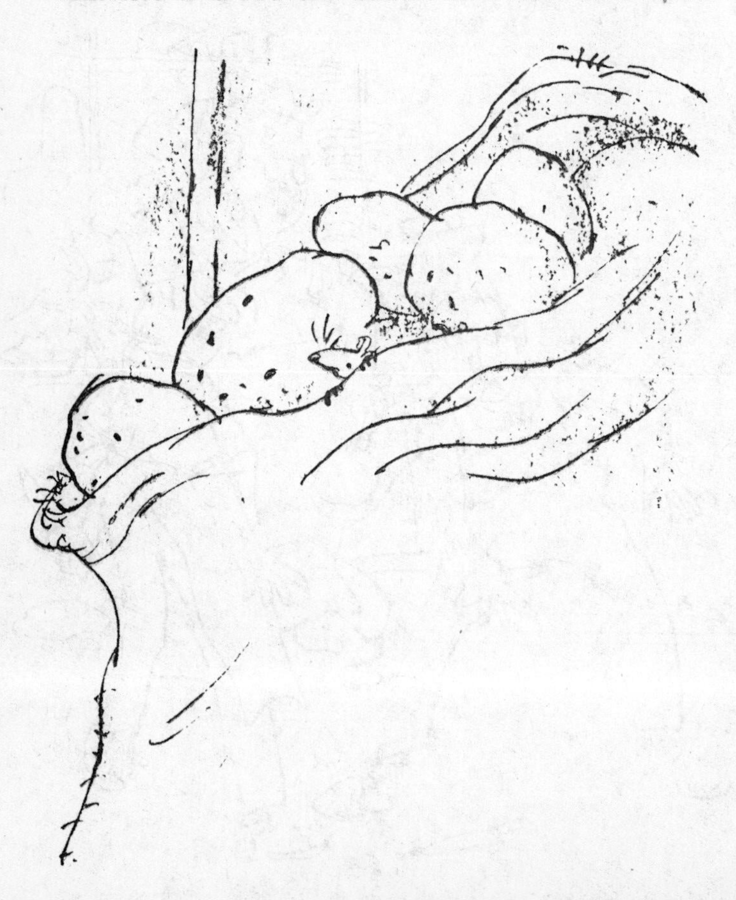

dure, et elle m'a répondu qu'elle était délicieuse ! Elle a même ajouté qu'elle trouvait la sauce succulente !

Je devais quitter cet endroit dangereux et retourner auprès de Grand-mère. Une seule issue : la porte de la cuisine. Il me fallait traverser la pièce et franchir la porte sur les talons d'un serveur. Je restai tranquille, en attendant le moment propice. Ma queue me faisait terriblement mal. Je la recourbai pour regarder les dégâts. Environ cinq centimètres manquaient, et je saignais beaucoup.

Un serveur transportant plusieurs assiettes de sorbets à la fraise en équilibre se dirigea vers la porte de sortie. Il avait une assiette à chaque main et deux sur chaque bras. Il ouvrit la porte d'un coup d'épaule. Je bondis hors du sac de pommes de terre, traversai la cuisine d'un seul trait et, sur ma lancée, la salle de restaurant. Je m'arrêtai enfin sous la table de Grand-mère.

Comme j'étais content de retrouver les bottines noires démodées de Grand-mère, avec leurs boutons et leurs lacets ! Je remontai sur ses genoux.

– Coucou, Grand-mère ! murmurai-je. Je suis de retour ! J'ai réussi ! J'ai versé toute la potion dans la soupe des sorcières !

– Bravo, mon petit, chuchota-t-elle, en me caressant de la main. Elles sont justement en train de manger leur soupe.

Soudain, elle s'arrêta de me caresser.

– Mais tu es blessé ! murmura-t-elle. Que t'est-il arrivé ?

– Un des cuisiniers m'a coupé la queue avec un couteau, répondis-je à la voix basse. Ça fait horriblement mal.

– Laisse-moi regarder, dit-elle.

Elle baissa la tête et examina ma queue.

– Mon pauvre petit, murmura-t-elle. Je vais bander ta queue avec mon mouchoir. Cela t'empêchera de saigner.

Elle sortit un petit mouchoir de dentelle, et elle fit un bandage au bout de ma queue.

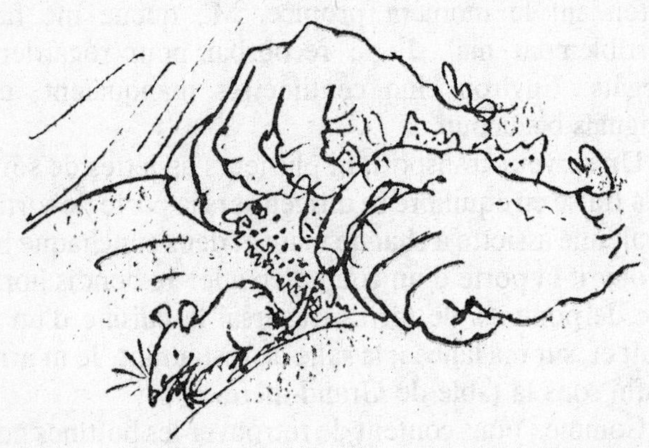

– Ça ira comme ça, dit-elle. Ne pense plus à ta blessure. Tu as vidé tout le flacon dans leur soupe ?

– Jusqu'à la dernière goutte, dis-je. Et j'aimerai bien assister au spectacle !

– Oui, dit-elle. Mon sac est sur ta chaise à côté de moi. Je vais t'y remettre et tu pourras regarder à loisir. Mais attention à ne pas te faire remarquer ! Il y a aussi Bruno, mais tout ceci ne l'intéresse pas. Je lui ai donné un petit pain, et ça l'occupe.

Sa main se referma sur moi, et je me sentis soulevé et transporté dans le sac à main.

– Salut, Bruno ! dis-je.

– Succulent, ce petit pain, dit-il, toujours blotti au fond du sac. Mais j'aurais voulu un peu de beurre !

Je repris ma position favorite. Je voyais les sorcières assises à leurs tables au milieu de la salle. Elles avaient fini leur soupe, et les serveurs enlevaient les assiettes. Grand-mère avait allumé un de ses dégoûtants cigares, et rejetai la fumée autour d'elle. Près de notre table, les clients bavardaient tout en se régalant. Il y avait des gens âgés qui avaient besoin d'une canne pour marcher et de nombreuses familles : le père, la mère et les enfants. C'étaient des gens riches. Il fallait l'être pour séjourner à l'hôtel Magnificent.

– La voilà, Grand-mère ! murmurai-je. C'est la Grandissime Sorcière.

– Je sais, chuchota Grand-mère. C'est la toute petite en robe noire, assise au bout de la table la plus proche.

– Elle peut te tuer, murmurai-je. Elle peut tuer n'importe qui dans cette salle avec son regard fulgurant.

– Attention, cache-toi ! dit Grand-mère. Le serveur se dirige vers notre table.

Je plongeai la tête dans le sac, et j'entendis William dire :

– Votre rôti d'agneau, Madame. Et comme légume que préférez-vous, des petits pois ou des carottes ?

– Des carottes, s'il vous plaît, dit Grand-mère. Mais surtout pas de pommes de terre.

Le serveur servit les carottes. Il y eut un petit silence, puis Grand-mère murmura :

– Ça va, il est parti !

Je sortis mon museau du sac.

– Je suis sûr que personne ne remarque mon museau, murmurai-je.

– Oui, répondit-elle. Je pense que tu as raison. Mais je dois te parler sans remuer les lèvres.

– Tu le fais très bien, dis-je.

– J'ai compté les sorcières, dit-elle. Elles ne sont pas

aussi nombreuses que tu le pensais. C'était juste une impression, n'est-ce pas, quand tu avais dit qu'elles étaient deux cents ?

– Oui, il me semblait, dis-je.

– Moi aussi, je m'étais trompée, dit Grand-mère. Je pensais qu'il y avait beaucoup plus de sorcières en Angleterre.

– Combien sont-elles ? demandai-je.

– Quatre-vingt-quatre, répondit-elle.

– Elles étaient quatre-vingt-cinq dis-je, puisqu'une sorcière a été frite comme une frite !

A ce moment-là, je vis M. Jenkins se diriger droit vers notre table.

– Attention, Grand-mère, murmurai-je. Voici le père de Bruno !

Père d'un souriceau !

En effet, M. Jenkins se dirigeait à grands pas vers notre table, l'air très décidé.

– Où est votre petit-fils ? demanda-t-il à Grand-mère.

Il parlait d'un ton brusque, et semblait en colère. Grand-mère ne répondit pas, et prit son air le plus glacial.

– A mon avis, poursuivit M. Jenkins, votre petit-fils et mon Bruno sont en train de préparer quelque méchant tour. Bruno n'est pas venu dîner, et il en faut beaucoup pour qu'il rate un repas !

– Je dois convenir qu'il a un excellent appétit, dit Grand-mère.

– A mon avis, continua M. Jenkins, vous êtes de mèche avec eux. Je ne sais pas qui vous êtes, et je m'en fiche. Mais vous nous avez joué un sale tour, à ma femme et à moi, cet après-midi. Quelle idée de jeter une horrible souris sur notre table ! Vous êtes sûrement complices tous les trois ! Si vous avez où se cache Bruno, dites-le-moi *illico presto* !

– Je ne vous ai pas joué de tour, dit Grand-mère. Cette souris était votre propre fils, Bruno. J'ai été bien gentille avec vous. J'ai essayé de vous le rendre, et vous avez refusé.

– Vous continuez, madame ? cria M. Jenkins. Mon fils n'est pas une souris.

Sa moustache montait et descendait comme un ascenseur !

– Allons, pressons ! Où est-il, mon Bruno ? Qu'on en finisse !

La famille, installée à la table voisine, s'était arrêtée de manger pour regarder M. Jenkins. Grand-mère fumait tranquillement son cigare noir.

– Je comprends bien votre colère, monsieur Jenkins, dit-elle. N'importe quel père serait furieux comme vous, du moins en Angleterre. Mais je viens de Norvège, et là-bas, nous sommes habitués à ce genre d'événements. Ils font partie de la vie de tous les jours, et nous les acceptons sans rechigner.

– Vous êtes complètement cinglée ! cria M. Jenkins. C'est la dernière fois que je vous le demande : où est Bruno ? Si vous ne me le dites pas sur-le-champ, j'appelle la police.

– Bruno est un souriceau, dit Grand-mère.

– Impossible ! hurla M. Jenkins. Bruno n'est pas un souriceau !

– Si, j'en suis un ! dit Bruno, en montrant le museau.

M. Jenkins sauta au plafond !

– Bonsoir, papa, continua Bruno, qui souriait comme sourient les souris.

M. Jenkins ouvrit une bouche si béante que je voyais ses dents en or !

– Ne t'inquiète pas, papa, poursuivit Bruno. Ce n'est pas aussi terrible, après tout. Tant qu'un chat ne m'attrape pas, ça va !

– B…B…Bruno ! bredouilla M. Jenkins.

– Plus d'école, dit Bruno, souriant comme un âne.

Plus de devoirr à la maison ! Et je vivrai dans le placard de la cuisine, en me régalant de raisins secs et de miel !

– M... M... Mais B... B... Bruno ! bégaya M. Jenkins. C... C... Comment est-ce arrivé ?

Le pauvre homme avait le souffle coupé.

– A cause des sorcières, dit Grand-mère.

– Je suis un homme, piailla M. Jenkins. Mon fils ne peut pas être un souriceau !

– Et pourtant, c'est bien votre fils, dit Grand-mère. Soyez gentil avec lui, monsieur Jenkins.

– Madame Jenkins va devenir folle ! cria M. Jenkins. Elle a horreur des souris !

– Elle devra s'y habituer, dit Grand-mère. J'espère que vous n'avez pas de chat à la maison.

– Nous en avons un ! s'écria M. Jenkins. Nous avons un chat, Topsy, qui est le chouchou de ma femme !

– Alors, dit Grand-mère, il faut vous débarrasser de Topsy. Votre fils est plus important que votre chat.

– Bien sûr ! cria Bruno. Dis à maman qu'elle se débarrasse de Topsy avant mon retour à la maison !

Maintenant, la moitié des clients de la salle de restaurant nous regardait. Les gens avaient posé les couteaux, les cuillères et les fourchettes, et les gens fixaient M. Jenkins qui s'agitait, criait et postillonnait ! Comme ils ne voyaient ni Bruno ni moi, ils se demandaient la raison de ce tapage.

– A propos, dit Grand-mère, aimeriez-vous savoir *qui* a transformé ainsi votre fils ?

Elle eut un petit sourire diabolique, et je devinais qu'elle était sur le point d'embarquer M. Jenkins sur un drôle de bateau.

– Qui ? cria-t-il. Qui a fait ça ?

– Cette femme là-bas, répondit Grand-mère. La toute petite, en robe noire, qui préside à la grande table.

– *La Présidente de la Société Royale pour la Protection de l'Enfance Persécutée !*

– Oh, non, dit Grand-mère. C'est la Grandissime Sorcière, la plus grande sorcière du monde.

– Vous affirmez que c'est elle, ce petit bout de femme, cria M. Jenkins. Diable, je vais lui envoyer mes avocats, et je lui ferai payer jusqu'au trognon !

– A votre place, dit Grand-mère, je ne ferai pas

d'imprudence. Cette femme a des pouvoirs magiques. Elle peut vous transformer en quelque bête plus horrible qu'une souris. En cafard, par exemple.

– *En cafard, moi !* hurla M. Jenkins, estomaqué. J'aimerais bien voir ça !

Il tourna les talons et se dirigea vers la table de la Grandissime Sorcière. Grand-mère et moi, nous l'observions, et Bruno avait sauté sur la table pour assister au spectacle. Tout le monde regardait M. Jenkins.

Moi, j'étais resté dans la poche, à l'intérieur du sac. Je pensais que c'était plus prudent.

La victoire

M. Jenkins n'avait pas plus tôt fait quelques pas en direction de la table que la Grandissime Sorcière poussa un cri perçant.

Je la vis sauter en l'air...

Puis elle fut debout sur sa chaise, hurlant...

Puis, debout sur la table, agitant les bras...

– Qu'arrive-t-il ? demandai-je.

– Attends ! dit Grand-mère. Reste tranquille et regarde !

Soudain, toutes les autres sorcières (plus de quatre-vingts) hurlaient, bondissaient sur les sièges, sur les tables, comme si on leur avait piqué les fesses avec un clou.

Puis elles se calmèrent...

Elles se raidirent. Chacune devint rigide comme un cadavre.

La salle était mortellement calme.

– Elles rétrécissent, Grand-mère ! criai-je. Comme moi !

– Je sais, répliqua Grand-mère.

– C'est la potion ! m'exclamai-je. Regarde ! Du poil pousse sur leurs figures. Pourquoi ça se passe si vite ?

– Je vais t'expliquer, répondit Grand-mère. Elles ont

pris des doses énormes, comme toi. Le réveil est devenu fou.

Toutes les personnes présentes dans la salle à manger s'étaient levées et se rapprochaient pour mieux voir. Elles commençaient à faire un cercle autour des deux grandes tables.

Grand-mère nous souleva, Bruno et moi, pour que

nous ne rations pas cette scène irrésistible. Tout excitée, elle sautait sur sa chaise.

En quelques secondes, toutes les sorcières avaient complètement disparu et de petites souris brunes grouillaient sur les deux tables.

Dans la salle à manger, les faibles femmes hurlaient et les hommes forts blêmissaient.

– C'est fou ! criaient-ils. C'est incroyable, invraisemblable ! Filons d'ici au plus vite !

Les serveurs attaquaient les souris à coups de chaise, de bouteille de vin et de tout ce qui leur tombait sous la main. Je vis le chef cuisinier, coiffé de sa grande toque jaillir de la cuisine en brandissant une poêle à frire. Derrière lui, quelqu'un d'autre aiguisait un couteau.

– Les souris ! Les souris ! Il faut s'en débarrasser ! criait tout le monde.

Seuls les enfants s'amusaient vraiment. Ils semblaient savoir d'instinct que ce qui se déroulait sous leurs yeux était une bonne chose, et ils applaudissaient, acclamaient et riaient comme des fous.

– Il est temps de s'en aller, décréta Grand-mère. Nous avons fait notre travail.

Elle descendit de sa chaise, prit son sac et le mit à son bras. Dans sa main gauche, elle tenait Bruno et dans sa main droite, moi.

– Bruno, déclara-t-elle, c'est le moment de rentrer au sein de ta famille.

– Maman n'adore pas les souris, dit Bruno.

– J'ai remarqué, dit Grand-mère. Eh bien, il faudra qu'elle s'y habitue.

Trouver M. et Mme Jenkins ne fut pas difficile. La voix stridente de Mme Jenkins résonnait dans toute la salle.

– Herbert ! criait-elle. Herbert, sors-moi d'ici ! Il y a des souris partout ! Elles montent sur ma jupe !

Elle était littéralement pendue au cou de son mari !

Grand-mère s'approcha d'eux et fourra Bruno dans la main de sa mère.

– Voici votre fils, dit-elle. Il faudra le mettre au regime.

– Salut papa ! Salut maman ! lança Bruno.

Mme Jenkins se remit à vociférer de plus belle. Grand-mère, me tenant toujours dans sa main, tourna les talons et sortit de la salle. Elle traversa le vestibule de l'hôtel, franchit la sortie et se retrouva à l'air libre.

La soirée était chaude et délicieuse. J'entendais les vagues se briser sur la plage.

– Je voudrais un taxi, dit Grand-mère au grand portier en uniforme vert.

– Certainement, madame, répondit-il.

Il mit deux doigts dans sa bouche et siffla de façon stridente. Je l'observai avec envie. Pendant des semaines, j'avais essayé de siffler comme ça, sans résultat. Maintenant, je n'avais plus aucune chance d'y arriver.

Le taxi arriva. Le chauffeur était un vieil homme qui portait une grosse moustache noire à la gauloise.

– Où allez-vous, madame ? demanda-t-il.

Soudain, il m'aperçut, moi, petite souris blottie dans la main de Grand-mère.

– Peste ! s'exclama-t-il. Qu'est-ce que c'est ?

– Mon petit-fils, répondit Grand-mère. Conduisez-nous à la gare, s'il vous plaît.

– J'ai toujours aimé les souris, dit le vieux chauffeur de taxi. Quand j'étais petit, j'en avais des centaines. Les souris sont des animaux qui se reproduisent à toute

vitesse, le saviez-vous, madame ? Aussi, si c'est votre petit-fils, je parie que dans deux semaines, vous aurez quelques petits-petits-fils.

– Conduisez-nous à la gare, s'il vous plaît, répéta Grand-mère, l'air pincé.

– Oui, m'dame. Tout de suite.

Grand-mère s'assit sur la banquette arrière du taxi et me posa sur ses genoux.

– Nous allons chez nous ? demandai-je.

– Oui, répondit-elle. En Norvège.

– Hourrah ! m'écriai-je. Hip hip hip hourrah !

– Je savais que tu serais content, dit-elle.

– Et les bagages ? demandai-je.

– Aucune importance, dit-elle.

Le taxi roulait dans les rues de Bournemouth. A cette heure-ci, les trottoirs étaient bondés de touristes qui se promenaient sans but.

– Comment vas-tu, mon petit ? demanda Grand-mère.

– Bien, répondis-je. Merveilleusement bien.

Du doigt, elle se mit à me caresser derrière le cou.

– Aujourd'hui, nous avons accompli de grands exploits, dit-elle.

– C'est fabuleux, dis-je. Absolument fabuleux.

Le cœur d'une souris

Ce fut merveilleux de revenir enfin en Norvège, dans la vieille et belle maison de Grand-mère. Mais maintenant que j'étais souriceau, tout semblait différent, et je mis un moment à me retrouver. J'évoluais dans un univers de tapis, de pieds de table et de chaise, et de petites fentes, derrière des meubles géants. Je ne pouvais ni ouvrir une porte ni prendre un objet sur la table.

Au bout de quelques jours, Grand-mère se mit à inventer des gadgets dans l'intention de me faciliter la vie. Elle demanda à un charpentier de construire des échelles miniatures et elle en plaça une devant chaque table pour que je puisse grimper dessus quand je voudrais. Elle-même inventa un astucieux système pour ouvrir les portes, avec des fils de fer, des ressorts, des poulies, des cordes et des poids. Bientôt, toutes les portes furent équipées de ce système. Je n'avais qu'à appuyer la patte sur une minuscule plate-forme en bois et *illico presto* ! un ressort se détendait, un poids basculait et la porte s'ouvrait.

Ensuite, elle inventa un système également fort ingénieux : je pouvais allumer la lumière quand j'entrais dans une pièce, la nuit. Je ne peux pas expliquer comment il fonctionnait parce que je ne comprends rien

à l'électricité mais, dans chaque pièce, il y avait un petit bouton sur le sol, près de la porte. Quand je posais doucement la patte dessus, la lumière s'allumait. Si j'appuyais une seconde fois, la lumière s'éteignait.

Grand-mère m'avait fabriqué une minuscule brosse à dents avec une allumette et quelques soies de sa brosse à cheveux.

– Il ne faut pas que tu aies des caries, dit-elle. Je ne peux pas amener une souris chez le dentiste. Il me croirait folle !

– C'est drôle ! fis-je. Depuis que je suis souriceau, je déteste le goût des bonbons et des chocolats. Donc, ça m'étonnerait que j'aie des caries.

– Continue quand même à te brosser les dents après chaque repas, dit Grand-mère.

Et je lui obéis.

En guise de baignoire, elle m'offrit un sucrier en argent et je m'y trempais chaque soir, avant d'aller au lit. Elle ne permettait à personne d'entrer dans la maison, pas même à une femme de chambre ou à une cuisinière.

Nous nous débrouillions tout seuls et nous étions heureux de vivre ensemble.

Un soir, j'étais sur les genoux de Grand-mère, en face de la cheminée lorsqu'elle me dit :

– Je me demande ce qui est arrivé à ce petit Bruno.

– Son père l'a peut-être donné au portier pour qu'il le noie dans son baquet, dis-je.

– Hélas, tu as peut-être raison, répliqua Grand-mère. Pauvre enfant !

Nous restâmes silencieux pendant quelques minutes. Grand-mère rejetait la fumée de son cigare noir et moi, je somnolais douillettement, bien au chaud.

– Puis-je te poser une question, Grand-mère ? demandai-je.

– Ce que tu veux, mon petit.

– Combien de temps vit une souris ?

– Ah... dit-elle. J'attendais cette question.

Il y eut un silence. Elle s'assit, tout en continuant à fumer, les yeux fixés sur le feu qui flambait dans la cheminée.

– Alors, répétai-je, combien de temps vivons-nous, nous autre souris ?

– J'ai lu des livres sur les souris, répondit Grand-mère. Je voulais tout savoir à leur sujet.

– Alors, raconte-moi !

– Si tu veux vraiment savoir, dit-elle, une souris ne vit, hélas, pas très longtemps.

– Combien de temps ? demandai-je.

– Eh bien, une souris ordinaire vit environ trois ans. Mais ce n'est pas ton cas. Tu es un souriceau-enfant, ce qui est fort différent.

– Combien de temps vit un souriceau-enfant, Grand-mère ?

– Plus longtemps, dit-elle. Beaucoup plus longtemps.

– C'est-à-dire ?

– Un souriceau-enfant devrait vivre trois fois plus longtemps qu'un souriceau ordinaire. C'est-à-dire neuf ans.

– Formidable ! m'écriai-je. C'est formidable ! Voilà la meilleure nouvelle de la journée !

– Pourquoi donc ? demanda Grand-mère, étonnée.

– Parce que je ne veux pas vivre plus longtemps que toi. Je ne supporterai pas que quelqu'un d'autre s'occupe de moi.

Il y eut un petit silence. Puis elle me gratta derrière les oreilles, du bout des doigts. C'était délicieux.

– Quel âge as-tu, Grand-mère ?

– Quatre-vingt-six ans.

– Tu vivras huit ou neuf ans de plus ?

– C'est possible, dit-elle. Avec un peu de chance.

– Il le faut, insistai-je. Avec huit ou neuf ans, je serai un très vieux souriceau et tu seras une très vieille grand-mère. Alors, nous pourrons mourir ensemble.

– Ce sera parfait, dit-elle.

Après quoi, je dormis un peu. Je fermai les yeux, sans penser. Je me sentais réconcilié avec le monde entier.

– Veux-tu que je te dise quelque chose de très intéressant sur toi ? demanda Grand-mère.

– Oui, Grand-mère, s'il te plaît, dis-je sans ouvrir les yeux.

– Au début, je n'y croyais pas, mais c'est vrai.

– De quoi s'agit-il ? demandai-je.

– Le cœur d'une souris, dit-elle, c'est-à-dire ton cœur, bat cinq cents fois par minute. N'est-ce pas stupéfiant ?

– Pas possible ! dis-je en ouvrant les yeux.

– C'est aussi vrai que je suis assise dans ce fauteuil. C'est un miracle !

– Ça fait presque neuf battements par seconde ! m'écriai-je.

– Très juste. Ton cœur bat si vite qu'on ne peut pas distinguer les battements. On n'entend qu'un doux murmure.

Elle portait son éternelle robe noire et la dentelle me chatouillait le nez. Je posai la tête sur mes pattes avant.

– As-tu entendu battre mon cœur, Grand-mère ?

– Souvent, répondit-elle. Lorsque tu es couché près de moi, au lit, sur ton coussin.

Nous restâmes un long moment silencieux, en rêvant devant le feu qui flambait dans la cheminée.

– Mon petit, dit enfin Grand-mère, tu es sûr que ça ne t'ennuie pas d'être une souris pour le restant de ta vie ?

– Ça m'est absolument égal, dis-je. Du moment que quelqu'un m'aime, peu m'importe qui je suis ni à quoi je ressemble.

Le travail nous attend !

Le soir, Grand-mère dîna d'une omelette et d'une tranche de pain. Je grignotai un bout de fromage de chèvre norvégien, le *gjetost* (je l'adorais même quand j'étais petit garçon). Nous mangions auprès du feu, Grand-mère dans son fauteuil et moi, sur la table, avec mon fromage dans une petite assiette.

– Grand-mère, dis-je, maintenant que nous nous sommes débarrassés de la Grandissime Sorcière, est-ce que toutes les sorcières du monde vont disparaître peu à peu ?

– Bien sûr que non, répondit-elle.

J'arrêtai de manger et je la fixai.

– Mais il faut ! m'écriai-je. Elles doivent disparaître !

– Hélas non, dit-elle.

– Mais si la Grandissime Sorcière n'est plus là, comment vont-elles obtenir tout l'argent qu'elles veulent ? Et qui va leur donner des ordres, les exciter pendant le congrès annuel, et leur inventer des potions magiques ?

– Quand la reine des abeilles meurt, une remplaçante prend sa place dans la ruche. C'est la même chose chez les sorcières. Dans le Quartier Secret de la Grandissime, une autre Grandissime attend pour la remplacer, en cas de besoin.

– Oh, non ! m'exclamai-je. Alors, nous avons travaillé pour rien ! Je suis devenu souriceau pour rien !

– Nous avons sauvé les enfants d'Angleterre, dit-elle, et ce n'est pas rien.

– Je sais, je sais ! dis-je. Mais ce n'est pas suffisant. J'étais sûr que toutes les sorcières du monde disparaîtraient après la disparition de leur chef ! Et tu m'apprends que la situation va continuer comme avant !

– Pas exactement, dit Grand-mère. Par exemple, il n'y a plus de sorcière en Angleterre. C'est quand même une victoire !

– Et dans les autres pays ? demandai-je. En Amérique ? En France ? En Hollande ? En Allemagne ? Et... en Norvège ?

– Ne crois pas que ces derniers jours, je sois restée les bras croisés, dit-elle. J'ai beaucoup pensé à ce problème.

Je levai les yeux vers son visage. Un petit sourire se dessinait autour de ses yeux et aux coins de la bouche.

– Pourquoi souris-tu, Grand-mère ? demandai-je.

– J'ai des nouvelles intéressantes à t'apprendre.

– Quelles nouvelles ?

– Je peux commencer par le commencement ?

– S'il te plaît, dis-je. J'adore les bonnes nouvelles.

Elle avait fini son omelette et j'avais mangé assez de fromage. Elle s'essuya la bouche à une serviette.

– Dès notre retour en Norvège, j'ai décroché le téléphone et j'ai appelé l'Angleterre.

– Qui as-tu appelé ?

– Le commissaire de police de Bournemouth, mon petit. Je lui ai raconté que j'étais le ministre de l'Intérieur norvégien et que je m'intéressais aux étranges événements qui s'étaient récemment produits à l'hôtel Magnificent.

– Attends, Grand-mère, dis-je. Jamais un policier anglais ne croira que tu es ministre de l'Intérieur…

– J'imite très bien la voix d'un homme, dit-elle. Bien sûr, il m'a crue. Le commissaire de police de Bournemouth était très honoré de recevoir un coup de téléphone du ministre de l'Intérieur du royaume de Norvège.

– Et que lui as-tu demandé ?

– Je lui ai demandé le nom et l'adresse de la dame qui habitait la chambre 454 à l'hôtel Magnificent, celle qui a disparu.

– C'est à dire la Grandissime Sorcière ?

– Oui, mon petit.

– Et il te les a donnés ?

– Évidemment. Entre policiers, on s'entraide.

– Diable ! Tu es culottée, Grand-mère.

– Je voulais son adresse, continua Grand-mère.

– La connaissait-il ?

– Tiens ! On avait retrouvé son passeport dans sa chambre et son adresse y était marquée. Elle figurait aussi dans le registre de l'hôtel. Tous les gens qui vont à l'hôtel doivent y inscrire leur nom et leur adresse.

– Mais la Grandissime Sorcière n'a certainement pas inscrit son *vrai* nom et sa *vraie* adresse, dis-je.

– Pourquoi pas ? fit Grand-mère. Personne n'avait la moindre idée de ce qu'elle était, sauf les autres sorcières. Quand elle voyageait, les gens la prenaient pour une femme charmante. Toi, mon petit, toi seul, tu as vu son véritable visage sans masque. Même dans le village qu'elle habite, les gens croient que c'est une baronne très riche et très gentille qui donne beaucoup d'argent aux œuvres de charité. J'ai vérifié ces informations.

Tout cela commençait à m'exciter.

– Et l'adresse que tu as, Grand-mère, c'est celle du Quartier Secret de la Grandissime Sorcière ?

– Exact, répondit Grand-mère. Et ce sera là où la nouvelle Grandissime vivra avec sa cour d'assistantes sorcières. Les chefs importants sont toujours très entourés.

– Où est son Quartier Secret ? demandai-je. Dis-moi vite !

– Dans un château, répondit Grand-mère. Et le plus fascinant, c'est que, dans ce château, il y a tous les noms et toutes les adresses de toutes les sorcières du monde ! Comment une Grandissime Sorcière pourrait-elle travailler sans cela ? Comment pourrait-elle donner des ordres aux sorcières de tous les pays pour leur congrès annuel ?

– Où se trouve ce château, Grand-mère ? Dans quel pays ?

– Devine ! dit-elle.

– En Norvège ! m'exclamai-je.

– Gagné ! répondit-elle. Dans un petit village perché sur la montagne.

Quelles palpitantes nouvelles ! Je dansai la gigue sur la table. Grand-mère était aussi très emballée. Elle se leva de son fauteuil et se mit à faire les cent pas dans la pièce, en donnant des coups de canne sur le tapis.

– Le travail nous attend ! s'écria-t-elle. Nous avons une grande tâche à accomplir. Dieu merci, tu es une souris. Une souris peut se faufiler partout. Je n'aurais qu'à te poser près du château de la Grandissime et tu entreras très facilement à l'intérieur. Et là, tu rôderas en ouvrant grand les yeux et les oreilles.

– Oh oui ! Personne ne me verra. Se promener dans un château doit être bien plus facile que de se déplacer dans une cuisine bourrée de cuisiniers et de serveurs.

– Tu pourras y passer des journées entières, si c'est nécessaire, dit Grand-mère.

Elle était si énervée qu'elle agitait sa canne et, soudain, elle fit tomber un très beau vase qui vint s'écraser sur le sol.

– Aucune importance, dit-elle. Ce n'est qu'un vase Ming. Tu peux passer des semaines dans ce château, si tu veux, et personne n'en saura rien. Moi, je louerai une chambre dans le village. Chaque nuit, tu te faufileras hors du château pour dîner avec moi et me raconter les dernières nouvelles.

– Exactement ! m'écriai-je. Et à l'intérieur du château je furèterai partout.

– Mais ta tâche principale, continua Grand-mère, c'est évidemment de détruire toutes les sorcières du lieu. Ce qui signifie la fin de leur organisation !

– Moi, les détruire ? répétai-je. Mais comment ?

– Tu ne devines pas ? dit-elle.

– Explique-moi !

– Formule 86 Potion Souris à retardement ! hurla Grand-mère. Tu en distribueras à tout le monde. Il n'y a qu'à verser des gouttes dans leur nourriture. Tu te rappelles la recette, n'est-ce pas ?

– Dans les moindres détails, répondis-je. Mais... nous allons fabriquer nous-mêmes la potion ?

– Pourquoi pas ? fit Grand-mère. Si elles y arrivent, pourquoi pas nous ? Il faut juste savoir la formule.

– Qui grimpera en haut des arbres pour cueillir des œufs de grognassier ? demandai-je.

– Moi ! s'écria-t-elle. Moi ! La vieille bête est encore pleine de vie !

– Je crois qu'il vaut mieux que ce soit moi, Grand-mère. Tu peux tomber...

– Babioles ! jeta Grand-mère en agitant sa canne. Rien ne m'arrêtera.

– Et ensuite ? questionnai-je. Que se passera-t-il lorsque la Grandissime Sorcière et ses assistantes auront été changées en souris ?

– Le château sera absolument vide, je viendrai t'y rejoindre et...

– Attends ! m'écriai-je. Attends, Grand-mère ! Je pense à quelque chose d'affreux.

– Vraiment affreux ? demanda-t-elle.

– Quand la potion m'a changé en souris, expliquai-je, je ne suis pas devenu un souriceau ordinaire qu'on attrape avec une souricière. Je suis devenu un souriceau-enfant qui pense, parle et qui ne tombera jamais dans un piège !

Grand-mère avait deviné la suite...

– D'ailleurs, continuai-je, si nous utilisons la potion pour transformer en souris la nouvelle Grandissime Sorcière et ses sorcières réunies, tout le château grouillera de souris-sorcières, très méchantes et très dangereuses, qui penseront et parleront. Des souris-sorcières, ça doit être vraiment horrible !

– Diable, tu as raison ! dit Grand-mère. Je n'y avais pas songé.

– Pas question de vivre dans un château rempli de souris-sorcières ! dis-je.

– Évidemment, dit-elle. Il faut se débarrasser d'elles. Il faut les écraser, les pulvériser, les couper en petits morceaux exactement comme ça s'est passé à l'hôtel Magnificent.

– Non, je ne pourrai jamais faire ça, protestai-je. Et toi non plus, Grand-mère. D'ailleurs, les souricières ne nous serviraient à rien. La Grandissime Sorcière s'est trompée à propos des souricières...

– Oui, oui, dit Grand-mère impatiemment. Mais la Grandissime ne m'intéresse plus. Elle a été coupée en tranches, il y a bien longtemps, par le chef cuisinier. Nous devons nous occuper de la nouvelle, de celle qui habite le château avec ses sorcières réunies. Une Grandissime Sorcière est fort méchante quand elle est déguisée en femme, alors imagine ce qu'elle pourrait faire changée en souris ! Elle se faufilerait partout...

– J'ai une idée ! hurlai-je en bondissant. J'ai trouvé la solution !

– Qu'est-ce que c'est ? cria Grand-mère.

– Ce sont les chats ! Faisons venir des chats !

Grand-mère me regarda. Puis un grand sourire illumina son visage et elle hurla :

– Génial ! Absolument génial !

– Mets une demi-douzaine de chats dans le château, continuai-je, et ils tueront toutes les sorcières en cinq minutes, même les plus malignes.

– Tu es un magicien ! s'exclama Grand-mère, en agitant sa canne.

– Attention aux vases, Grand-mère !

– Au diable, les vases ! Je suis si contente que ça m'est bien égal de les casser tous !

– Autre chose, ajoutai-je. Tu dois être absolument sûre que je ne suis pas dans le château quand tu y mettras les chats.

– Promis, dit-elle.

– Que ferons-nous après que les chats auront tué les souris ? demandai-je.

– Je les ramènerai au village. Le château nous appartiendra à tous les deux.

– Et alors ?

– Alors, dit Grand-mère, nous nous dirigerons vers les archives et nous trouverons les noms et les adresses de toutes les sorcières du monde !

– Et après ? demandai-je en frémissant d'excitation.

– Après cela, mon petit, notre grande tâche commencera. Nous ferons nos valises et nous parcourrons le monde. Dans chaque pays, nous chercherons les maisons où vivent les sorcières. Nous les dénicherons une à une, puis nous nous faufilerons chez elles et nous verserons les petites gouttes de la Potion Souris sur le pain, dans les corn-flakes, sur les gâteaux de riz, sur toute la nourriture qui traîne. Quel triomphe, mon petit ! Un triomphe gigantesque, colossal ! Nous ferons tout cela nous-mêmes, rien que toi et moi. Ce sera l'œuvre de notre vie !

Grand-mère me prit dans le creux de sa main et m'embrassa sur le museau.

– Oh, mon Dieu ! Nous allons être bien occupés pendant des semaines, des mois, des années ! s'exclama-t-elle.

– En effet, dis-je. Mais nous allons bien nous amuser !

– Ça, tu peux le dire ! s'écria Grand-mère en m'embrassant encore. Allez, le travail nous attend !

Table

Les vraies sorcières 11
Grand-mère 16
Comment reconnaître une sorcière ? 27
La Grandissime Sorcière 36
Les grandes vacances 48
Les congressistes 61
Frrite comme oune frrite ! 66
Les bonbons à retardement 77
La recette 86
La démonstration 94
Les vieilles sorcières 102
La métamorphose 108
Bruno, le souriceau 113
Surprise pour Grand-mère ! 119
Souriceau cambrioleur 132
Les parents de Bruno 142
Une idée géniale ! 149
Dans la cuisine 153
Père d'un souriceau ! 173
La victoire 178
Le cœur d'une souris 185
Le travail nous attend ! 192

FOLIO JUNIOR ÉDITION SPÉCIALE

Roald Dahl

Sacrées Sorcières

Supplément réalisé par
Marie Farré

Illustrations de Philippe Munch

SOMMAIRE

ÊTES-VOUS UN DÉFENSEUR DES BONNES CAUSES ?

1. AU FIL DU TEXTE (p. 207)

Vingt questions pour commencer
Qui parle ?
Essai sur les voix
Pistes pour d'autres histoires
De quelle sorcière avez-vous peur ?
Quinze mots pas si faciles

Vingt questions pour continuer
Concours d'insultes
Histoire en bulles
Vers de mirliton
Crescendo - Grand-mère
Dix motifs pour comprendre les sorcières

Douze questions pour conclure
Le doute généralisé
Et la fin ?

2. JEUX ET APPLICATIONS (p. 220)

Mots en escalier - Mots en balai
Que prépare la sorcière ?
Recette magique - Cadavre exquis
Chez les dieux et les déesses
Les sorcières à travers le monde
Rébus - La grille inquiétante
Le prince changé en crapaud
Musiques ensorcelées
Chef d'accusation

3. LES MÉTAMORPHOSES DANS LA LITTÉRATURE (p. 228)

Les Trois Plumes, Grimm
L'Ane d'or ou Les Métamorphoses, Apulée
Ah ! si j'étais un monstre..., Marie-Raymond Farré
L'Étrange cas du Dr Jekyll et de M. Hyde, R.L. Stevenson
Les Contes bleus du chat perché, Marcel Aymé

4. SOLUTIONS DES JEUX (p. 234)

ÊTES-VOUS UN DÉFENSEUR DES BONNES CAUSES ?

La grand-mère et l'enfant de cette histoire partent en guerre contre les sorcières. Lorsqu'on sait que celles-ci ont projeté de détruire tous les enfants de la planète, les combattre est certainement une bonne cause !
Et vous, comment réagissez-vous devant les injustices, la méchanceté ou la détresse des autres ? Notez vite votre première réaction, faites le compte des △, ○, □, ☆ et courez à la page des solutions.

1. *Votre voisin lance des pierres aux chats :*
A. Vous prévenez la Société protectrice des animaux △
B. Ça vous est bien égal : vous n'aimez pas les chats ☆
C. Vous lui faites un grand discours sur la lâcheté envers plus petit que soi ○
D. Vous l'applaudissez □

2. *Une vieille dame tombe dans la rue. Personne ne l'aide à se relever :*
A. Vous filez sans vous retourner ☆
B. Vous haranguez les piétons en les insultant ○
C. Vous la piétinez □
D. Vous l'aidez à se relever et prévenez un agent △

3. *Une petite fille de votre âge mendie dans l'autobus :*
A. Vous n'avez pas un sou en poche et le lui dites △
B. Vous volez l'argent qu'elle a dans son sac □
C. Vous faites semblant de regarder ailleurs ☆
D. Vous lui donnez tout votre argent de la semaine ○

4. *Vous assistez à une scène raciste dans l'autobus :*
A. Vous sortez vos injures des grands jours ○
B. Vous vous taisez ☆
C. Vous prenez le parti du raciste □
D. Vous intervenez calmement pour défendre les personnes attaquées △

5. *Dans l'autobus, vous surprenez une conversation louche entre deux hommes : ils ont un plan pour dévaliser une banque :*
A. Vous les filez pour en savoir plus ○
B. Vous racontez l'histoire à vos amis pour les amuser ☆
C. Vous en parlez à vos parents △
D. Vous les faites chanter □

6. *Votre meilleur ami a été changé en souris :*
A. Vous le jetez au chat □
B. Vous le mettez dans votre poche et vous l'oubliez ☆
C. Vous cherchez un morceau de gruyère pour le nourrir △
D. Vous partez à la poursuite de la maudite sorcière qui l'a transformé ○

7. *Un nouveau arrive dans votre classe. Il est timide, maladroit, bégaie et renverse tout. Les autres élèves se moquent de lui :*
A. Et vous aussi ! Pour une fois qu'on ne se moque pas de vous ! ☆
B. Vous devenez aussitôt son meilleur ami et faites des projets pour qu'il parte en vacances avec vous ○
C. Vous lui faites un croc-en-jambe dans la boue □
D. Vous l'intégrez spontanément à vos jeux △

8. *Un aveugle vous demande son chemin :*
A. Vous le faites tourner plusieurs fois sur lui-même et le poussez dans la mauvaise direction □
B. Désolé, mais vous êtes pressé ☆
C. Vous prenez le train avec lui : il habite à trente kilomètres de là ○
D. Vous le conduisez à la gare △

9. *Vous apprenez que votre voisine, une dame âgée, n'a plus assez de force pour monter l'escalier :*
A. Vous faites circuler une pétition dans l'immeuble pour exiger l'installation d'un ascenseur ○
B. Vous enduisez l'escalier de savon □
C. Vous proposez de lui monter les courses et le courrier △
D. Vous estimez que ses enfants, qui viennent la voir tous les mois, peuvent bien s'occuper d'elle ☆

10. *Les parents de votre meilleur ami ont décidé de se débarrasser de leur chien :*
A. Vous adoptez le chien ○
B. Vous revendez le chien vous-même □
C. Vous cherchez une famille d'accueil △
D. Vous vous dites qu'ils ont peut-être leurs raisons ☆

Solutions page 234

1
AU FIL DU TEXTE

Vingt questions pour commencer
(p. 11-52)

Saurez-vous répondre aux questions qui suivent sans bien sûr vous reporter au récit ?

1. *De quel pays vient Grand-mère ?*
A. De Suède
B. Du Danemark
C. De Norvège

2. *Dans quelle ville vit Grand-mère ?*
A. Oslo
B. Bergen
C. Narvik

3. *Comment s'appelle la petite fille qui a disparu avec une sorcière aux gants blancs ?*
A. Ingrid
B. Ranghild
C. Margerid

4. *Que fait Solveg, prisonnière dans un tableau ?*
A. Elle ramasse des fleurs
B. Elle jette du pain aux canards
C. Elle croque une pomme

5. *Le troisième enfant est devenu :*
A. Un frêle poussin
B. Un coq fier
C. Une poule blanche

6. *Le quatrième enfant :*
A. Est devenu invisible
B. A été changé en pierre
C. S'est mué en bourdon

7. *Le cinquième enfant a été changé :*
A. En dauphin
B. En marsouin
C. En cachalot

8. *Pourquoi les sorcières portent-elles toujours des gants ?*
A. Pour cacher leurs griffes
B. Parce qu'elles n'ont pas de doigts
C. Parce qu'elles ont les ongles verts

9. *Comment les sorcières repèrent-elles les enfants ?*
A. Elles flairent l'odeur de saleté
B. L'odeur de propreté les dégoûte
C. Elles sentent le petit lait

10. *Qu'ont les sorcières sur les dents ?*
A. Des bouts de viande
B. Des filets de sang
C. De la salive bleue

11. *Combien d'enfants une sorcière fait-elle disparaître en moyenne par semaine ?*
A. Dix enfants
B. Trois enfants
C. Un enfant

12. *Quand elle était petite fille, Grand-mère a rencontré une sorcière. Elle en porte encore la marque. Laquelle ?*

A. Une cicatrice sur le bras
B. Un pouce manquant
C. Deux dents cassées

13. *Les sorcières les plus méchantes du monde sont de nationalité :*

A. Américaine
B. Norvégienne
C. Anglaise

14. *Comment s'appelle la sorcière en chef ?*

A. La Gravissime
B. La Gratissime
C. La Grandissime

15. *Comment la sorcière en chef finance-t-elle ses projets épouvantables ?*

A. Elle attaque les banques
B. Elle imprime de faux billets
C. Elle escroque des compagnies d'assurances

16. *Dans quelle région se trouve la maison familiale du jeune narrateur ?*

A. Dans le Kent
B. Dans le Dorset
C. Dans le Lake District

17. *En Angleterre, le héros se construit une cabane :*

A. Dans un châtaignier
B. Dans un marronnier
C. Dans un tilleul

18. *Que propose la sorcière aux gants noirs à l'enfant ?*

A. Un serpent vert
B. Une souris verte
C. Un crapaud

19. *Quelle maladie contracte Grand-mère ?*

A. Une embolie
B. Une pneumonie
C. Une monomanie

20. *Comment s'appellent les deux souris blanches ?*

A. William et Maggie
B. William et Mary
C. Gillian et Harry

Solutions page 235

Qui parle ?

Ici, c'est le narrateur enfant qui raconte l'histoire. Quel est son prénom ? Ne cherchez pas, il n'en a pas. Cela vous a-t-il gêné ? A votre avis, quel prénom lui conviendrait ? Organisez un vote dans la classe.
Lisez à haute voix le chapitre « Grand-mère » jusqu'à : « elle commença à me parler de sorcières. » en remplaçant le « je » narratif par le prénom que vous aurez choisi. Qu'est-ce qui change, dans le ton du récit ?
Expliquez en une dizaine de lignes si vous préférez le « je » ou le récit à la troisième personne dans *Sacrées sorcières* et pourquoi.

Essai sur les voix

Essayez, à l'intérieur d'un groupe, d'imiter la voix du petit garçon puis celle de Grand-mère. N'ayez pas peur de forcer la dose, tentez les aigus ou les graves, prenez des accents divers. Votez pour désigner quelle voix convient le mieux aux personnages. Puis tâchez de définir en cinq adjectifs les caractéristiques de chaque personnage au travers de sa voix.
Faites la même expérience en imitant la démarche... et en imaginant celle de l'enfant changé en souris.

Pistes pour d'autres histoires

Ainsi donc, selon Roald Dahl, certaines femmes, d'un aspect tout à fait ordinaire, ne seraient autres que des sorcières ? Et si l'on inversait la proposition et que les hommes paraissent suspects parce que, parmi eux, se cachent de dangereux et de vrais... vampires. Reprenons le début de l'histoire en l'adaptant (p. 11) :
« Dans les contes fantastiques, les vampires portent toujours de ridicules capes noires et dorment tout le jour dans des cercueils...
Mais ce livre n'est pas un conte fantastique.
Nous allons parler des *vrais vampires* qui vivent encore de nos jours...
Les vrais vampires s'habillent normalement et ressemblent à la plupart des hommes... »

Tout comme les vraies sorcières, les vrais vampires haïssent les enfants (dans une version burlesque, ils pourraient haïr les chiens). Mais ils disposent d'armes bien différentes. Dans sa description des vraies sorcières, Roald Dahl a su garder une partie de la tradition (que serait, en effet, une sorcière si elle ne fabriquait pas d'épouvantables mixtures ?).

1. Reprenez donc le chapitre « Comment reconnaître une sorcière » (p. 23) que vous intitulerez « Comment reconnaître un vampire » et cherchez quelques horribles caractéristiques, à l'instar de celles qu'énumère Grand-mère. Peut-être les vrais vampires ont-ils une langue extrêmement longue en forme de serpentin, collante au bout, qui leur permet d'attraper les mouches au vol ? Un dessin serait également le bienvenu.

N'oubliez pas que ces détails physiques ne doivent pas être visibles au premier regard, sinon les vampires se feraient trop aisément démasquer. Précisez ce qui reste, chez eux, de la tradition (sinon ce ne seraient plus des vampires). En quoi l'histoire va-t-elle se modifier ? Résumez-la en une page ou deux. L'enfant est-il toujours changé en souris ?

2. Enfin, inversons complètement les données de *Sacrées sorcières*. Les êtres dangereux ne visent plus la destruction des enfants (ni des chiens !) mais celle des adultes ! Et l'aspect qu'ils prennent est celui, tout à fait rassurant (vraiment ?), d'enfants ordinaires. Comment nommer ces êtres étranges ? Lutins ? Diablotins ? Démons ? Ou bien faut-il leur donner un autre nom que vous inventerez ? Trouvez cinq détails physiques abominables, qu'ils parviennent à cacher, mais qui permettent de les identifier à coup sûr.

Vous disposez là d'un excellent point de départ pour élaborer le scénario d'une histoire bien différente de celle de *Sacrées sorcières* et de *Sacrés vampires*.

De quelle sorcière avez-vous peur ?

Beaucoup de contes ou d'histoires fantastiques accordent un rôle prédominant aux sorcières qui tantôt traversent le ciel à califourchon sur leur balai, en semant de terribles sorts sur leur passage ou tantôt, comme dans *Sacrées sorcières* de Roald Dahl, sont d'autant plus effroyables que leur apparence tout à fait ordinaire n'éveille en aucune façon la méfiance des autres personnages ou du lecteur !

1. Certaines ont peut-être hanté votre sommeil. Sauriez-vous raconter l'un de ces cauchemars ? Vous décrirez, en donnant le plus de détails possible, l'apparence de ces sorcières et les mauvais tours qu'elles vous ont joués jusqu'au moment où, haletant, vous vous êtes réveillé et avez retrouvé avec soulagement le calme de votre chambre.

2. Au beau milieu de la journée, parfois même au cœur de la nuit, vous est-il arrivé d'avoir peur, comme si vous deviniez une présence inquiétante tapie derrière un arbre, un buisson, un mur, ou dissimulée dans un recoin sombre de votre appartement ?
Qu'avez-vous ressenti exactement ?
Cette « sorcière » avait-elle les traits d'un personnage de roman, de théâtre ou de film ou ne leur ressemblait-elle en rien ?
Si cette frayeur remonte à plusieurs années, repassez-vous aujourd'hui avec indifférence en ces lieux ou subsiste-t-il en vous un peu de cette épouvante passée ?
Sauriez-vous dire, à présent, ce qui a pu faire naître ce personnage ?

3. Peut-être avez-vous rencontré l'une de ces femmes qui éveillent la crainte ou la curiosité des habitants d'une ville ou d'un village et dont l'on évoque, à mots couverts, les agissements mystérieux et les pouvoirs étranges en disant : « Attention, c'est une sorcière... »
Vous direz en quelques lignes ce que vous ont raconté les gens à son sujet et ce que vous avez pu vous-même constater.

Quinze mots pas si faciles

Ces quinze mots, extraits de *Sacrées sorcières* vous sembleront peut-être faciles. Êtes-vous pourtant sûr d'en connaître le sens exact ?

1. *Devise :* A. Proverbe - B. Causette agréable - C. Toute monnaie valable dans un pays - D. Règle de conduite.
2. *Papilloter :* A. Faire claquer le vin sur ses papilles - B. Cligner des yeux - C. Courir d'un objet à l'autre D. Briller.
3. *Flopée :* A. Brassée - B. Grande quantité - C. Foule vulgaire - D. Troupeau chez les volatiles.
4. *Marsouin :* A. Mammifère marin - B. Jeune dauphin - C. Cochon des mers - D. Poisson volant.
5. *Compromis :* A. Promesse tenue - B. Petite lâcheté - C. Accord où chacun cède un peu - D. Recul stratégique.
6. *Décati :* A. Vieilli - B. Ruiné - C. Déchu - D. Gâteux.
7. *Magnanime :* A. Imposant - B. Grandiloquent - C. Bienveillant - D. Chaleureux.
8. *Grognassier :* A. Vieux grenadier - B. En termes vulgaires, femme - C. Vieux sanglier - D. Vieil ours mal léché.
9. *Couinement :* A. Plainte - B. Halètement - C. Cri aigu - D. Cri du jeune animal trop tôt sevré.
10. *Strident :* A. Mordant - B. Perçant - C. Piquant - D. Se dit de la carapace striée des animaux à dents pointues.
11. *Rechigner :* A. Mordiller - B. Refaire un chignon - C. Se montrer réfractaire - D. Refuser la nourriture.
12. *Propice :* A. Favorable - B. Indulgent - C. Agréable - D. Excitant.
13. *Rombière :* A. Qui a bu trop de bière - B. Rondouillard - C. En termes misogynes, femme mûre désagréable - D. Modèle de vertu.
14. *Potion :* A. Lotion qui favorise la repousse des cheveux - B. Infusion - C. Recette magique - D. Médicament liquide.
15. *Fadaise :* A. Petite chanson improvisée - B. Film sentimental - C. Niaiserie - D. Invention.

Solutions page 235

Vingt questions pour continuer
(p. 52-149)

Comme précédemment, répondez à ces vingt questions.

1. *Dans quelle ville d'Angleterre Grand-mère et son petit-fils partent-ils en vacances ?*
A. Porsmouth
B. Boursmouth
C. Bournemouth

2. *Que porte le directeur de l'hôtel ?*
A. Un smoking
B. Un habit à queue
C. Un costume prince de galles

3. *Sous quel nom d'emprunt voyage le groupe des sorcières anglaises ?*
A. La Société royale pour la défense des enfants de rue
B. La Société impériale pour la dignité des enfants exclus
C. La Société royale pour la protection de l'enfance persécutée

4. *Le héros s'abrite derrière un paravent sur lequel figurent :*
A. Des bergers et des bergères
B. Des dragons chinois
C. Des roses trémières

5. *Quelle est la grande ambition du jeune narrateur ?*
A. Fonder un cirque de souris blanches
B. Devenir sorcièrologue
C. Diriger un grand hôtel

6. *Qu'arrive-t-il à la sorcière qui contredit la Grandissime ?*
A. Elle est hachée comme chair à pâté
B. Bouillie comme bouillon
C. Frite comme une frite

7. *Quel délai la Grandissime donne-t-elle aux sorcières pour exterminer tous les enfants d'Angleterre ?*
A. Un mois
B. Six mois
C. Un an

8. *La Grandissime ordonne d'acheter :*
A. Les meilleures confiseries
B. Les boulangeries les plus renommées
C. Les plus grandes pâtisseries

9. *Quelle est la formule 86 ?*
A. Celle des bonbons à bombe bang
B. Celle des bonbons à retardement
C. Celle des bonbons à petit bouillon

10. *Les bonbons changent les enfants :*
A. En souris
B. En rats
C. En hamsters

11. *La Potion Souris à retardement est à base de :*
A. Périscope frit
B. Télescope bouilli
C. Magnétoscope haché

12. *Quel est le nom de l'hôtel où habitent Grand-mère et son petit-fils ?*
A. Le « Splendid »
B. Le « Terrific »
C. Le « Magnificent »

13. *A quelle heure Bruno doit-il subir sa métamorphose ?*
A. A dix heures du matin
B. A trois heures et demie de l'après-midi
C. A sept heures du soir

14. *Combien de doses contient un flacon de potion ?*
A. Quatre cents
B. Cinq cents
C. Sept cents

15. *Quel est le nom de famille de Bruno ?*
A. Perkins
B. Jenkins
C. Lenkins

16. *La chambre de la Grandissime se trouve :*
A. Au cinquième étage
B. Au quatrième étage
C. Au troisième étage

17. *Par quel moyen l'enfant descend-il de sa chambre pour atteindre celle de la Grandissime Sorcière ?*
A. Dans un panier
B. Dans une chaussette
C. Dans un bout de gruyère

18. *Où la Grandissime Sorcière cache-t-elle les flacons de potion ?*
A. Dans son matelas
B. Dans son sommier
C. Dans sa table de nuit

19. *Sous le lit de la Grandissime, le héros rencontre :*
A. D'autres souriceaux
B. Des grenouilles
C. Des moineaux

20. *Pourquoi Bruno ne parle-t-il pas à son père ?*
A. Parce qu'il ne veut pas retourner chez lui
B. Parce qu'il a la bouche pleine
C. Parce qu'il ne peut plus s'exprimer que dans le langage des souris

Solutions page 236

Concours d'insultes

« Malheurreuses ! Parresseuses ! Bonnes à rrien ! Tas de verrmisseaux ! Stoupides gaffeuses ! Étourdies sans cerrvelle ! » hurle la Grandissime Sorcière à son bataillon. Insultes nombreuses mais un peu banales.
Les insultes les plus percutantes ne sont-elles pas celles que l'on ne comprend pas ? Il reste à les inventer.
Prenez trois mots désignant des choses que vous n'aimez pas : par exemple gymnastique, choucroute et mathématiques, et mélangez allégrement les syllabes.
Cela peut donner : gymcroute ! Matchou ! Nastichoumatiques ! Ou bien : matcroutchou ! Les combinaisons sont innombrables. On appelle ces amalgames des mots-valises puisqu'on peut les mettre les uns dans les autres comme dans une valise. Lewis Carroll, l'auteur d'*Alice au pays des merveilles*, en était friand.

Histoire en bulles

Et si l'on oubliait le texte pour regarder une à une les succulentes illustrations de Quentin Blake ? Ajoutez à chacune une bulle, comme dans une bande dessinée. Voici encore la base d'une histoire.
Pensez au titre, c'est très important !

Vers de mirliton

« A morrt, à morrt les marrmots ! Faisons bouillirr la peau et les os ! »
Dans son chant d'allégresse, (p. 83) la Grandissime Sorcière utilise à merveille les vers de mirliton.
Sans prétention, ceux-ci visent avant tout l'effet comique.
Pourquoi ne pas répondre à la sorcière, en lui disant sur le même ton d'humour noir quels supplices vous comptez faire subir aux adultes ?
Pour commencer, faites une bonne provision de rimes où vous puiserez à loisir, par exemple : charogne, trogne, look, bouc, vache, potache...
Si cela vous aide, vous pouvez mettre vos vers de mirliton sur un air de chanson connu.

Crescendo

La Grandissime Sorcière a le visage « fané, fripé, ridé, ratatiné ».
« Affreux, abominable spectacle. Face immonde, putride et décatie. »
« J'étais subjugué, anéanti, réduit. »
« J'ordonne que tous les Zenfants du pays soient balayés, écrrasés, écrrabouillés, poulvérrisés, exterrminés avant oun an ! »

Quelle verve dans l'utilisation des adjectifs !
A votre tour, esquissez en une demi-page le portrait de votre pire ennemi (ou ennemie), en faisant suivre chaque adjectif de deux synonymes (au moins) qui renchérissent sur celui-ci.
Par exemple : « L'expression de ses yeux petits, minuscules, microscopiques est stupide, abrutie, ébaubie, balourde et sa bouche molle, baveuse, crachotante, ne profère que des inepties... »
A vous de juger si, dans l'énumération, il est plus percutant de placer les adjectifs longs ou courts à la fin ou bien de les faire alterner. Jouez des sonorités afin d'obtenir une énumération qui chatouille l'oreille.

Grand-mère

La grand-mère du narrateur est le personnage fort du récit. Entière, généreuse, ne se souciant jamais des conventions, elle entraîne son petit-fils dans une aventure à sa démesure.
- Aimeriez-vous avoir une grand-mère qui lui ressemble ?
- Relisez la façon dont Roald Dahl la dépeint dans le chapitre qui lui est consacré : en quelques lignes, l'auteur fait sentir toute l'affection qui unit les deux héros. Réécrivez le passage à votre manière en faisant le portrait de votre propre grand-mère, ou de celle que vous imaginez dans vos rêves.

Dix motifs pour comprendre les sorcières

Les phobies sont des répulsions irrationnelles. Nul ne peut reprocher à quelqu'un son horreur des araignées ou des cafards... Pourquoi en voudrait-on à celle ou celui qui aurait peur des enfants ? Trêve de plaisanterie. Imaginez que vous êtes une sorcière persuadée du bien-fondé de sa cause : détruire les enfants.
Parviendrez-vous à trouver dix motifs à votre haine ? Énumérez-les et surtout ne jetez pas cette liste : peut-être plus tard la jugerez-vous très justifiée...

Douze questions pour conclure

(p. 158-190)

Voici un dernier test pour savoir si vous avez lu avec attention la fin de l'ouvrage !

1. *Au restaurant, une dame réclame un meilleur morceau de viande. Que font les cuisiniers ?*
A. Ils passent la viande sous l'eau pour la ramollir
B. Ils la mâchouillent
C. Ils crachent dans la sauce

2. *Où l'enfant verse-t-il la potion pour les sorcières ?*
A. Dans la soupe
B. Dans la sauce
C. Dans le vin

3. *Le cuisinier a coupé la queue du souriceau de :*
A. Trois centimètres
B. Cinq centimètres
C. Sept centimètres

4. *Combien y a-t-il de sorcières au restaurant ?*
A. Cent quatre
B. Quatre-vingt-quatorze
C. Quatre-vingt-quatre

5. *Comment s'appelle le chat de Bruno ?*
A. Topsy
B. Tommy
C. Tobbie

6. *Grand-mère et son petit souriceau partent de l'hôtel :*
A. Sans avoir mangé
B. Sans avoir payé
C. Sans bagages

7. *Dans quoi se baigne le souriceau, en Norvège ?*
A. Un dé à coudre
B. Un sucrier en argent
C. Une timbale

8. *Combien de temps vit une souris ordinaire ?*
A. Sept ans
B. Cinq ans
C. Trois ans

9. *Et un souriceau-enfant ?*
A. Neuf ans
B. Sept ans
C. Cinq ans

10. *Quel âge a Grand-mère ?*
A. Quatre-vingt-dix-neuf ans
B. Quatre-vingt-six ans
C. Quatre-vingt-trois ans

11. *A quelle vitesse bat le cœur d'une souris ?*
A. Deux cent vingt fois par minute
B. Cinq cents fois par minute
C. Mille fois par minute

12. *Où se trouve le Quartier Secret de la Grandissime Sorcière ?*
A. Dans un squat à New York
B. Dans un monastère tibétain désaffecté
C. Dans un château en Norvège

Solutions page 236

Le doute généralisé

Et si nous acceptions un instant le postulat de Roald Dahl, à savoir : les vraies sorcières sont des femmes que rien ne distingue des autres... ?

1. Choisissez dans votre entourage les femmes que vous trouvez les plus gentilles et imaginez un dialogue entre elles et vous. Sous leurs charmantes paroles se cachent les intentions les plus noires. Si elles vous lancent : « J'espère que tu es guéri de ta grippe, mon petit ! », cela veut dire : « Quand vas-tu périr dans d'atroces souffrances, ignoble scorpion ? »
Écrivez les demandes et les réponses en notant entre parenthèses leurs pensées véritables. Vous pourrez jouer ensuite la scène avec vos amis.

2. A présent, choisissez les femmes les plus jolies de votre entourage et imaginez qu'elles portent un masque dissimulant une effondrante hideur. Décrivez en une page comment vous vous rendez compte de la supercherie... Relisez le chapitre « Les congressistes » (p. 61), dans lequel le narrateur découvre peu à peu que ces innocentes congressistes sont des sorcières. Inspirez-vous-en pour distiller graduellement vos informations, de façon à introduire un suspense psychologique !
Puis, hâtez-vous d'oublier vos doutes et allez vite vous réconcilier avec ces prétendues sorcières. Elles seront bien étonnées d'apprendre que vous leur en vouliez... même pour rire !

Et la fin ?

Peut-être avez-vous trouvé la fin de *Sacrées sorcières* surprenante ? Et si vous la récriviez ?
Vous pourriez imaginer par exemple que :
- la grand-mère a aussi des pouvoirs magiques mais bénéfiques.
- l'une des sorcières n'a pas été changée en souris.
- le souriceau-enfant va redevenir petit garçon.
- la grand-mère se révèle être une sorcière : la pire de toutes, en réalité !

2
JEUX ET APPLICATIONS
Mots en escalier

Complétez la grille de mots en vous aidant des définitions suivantes :

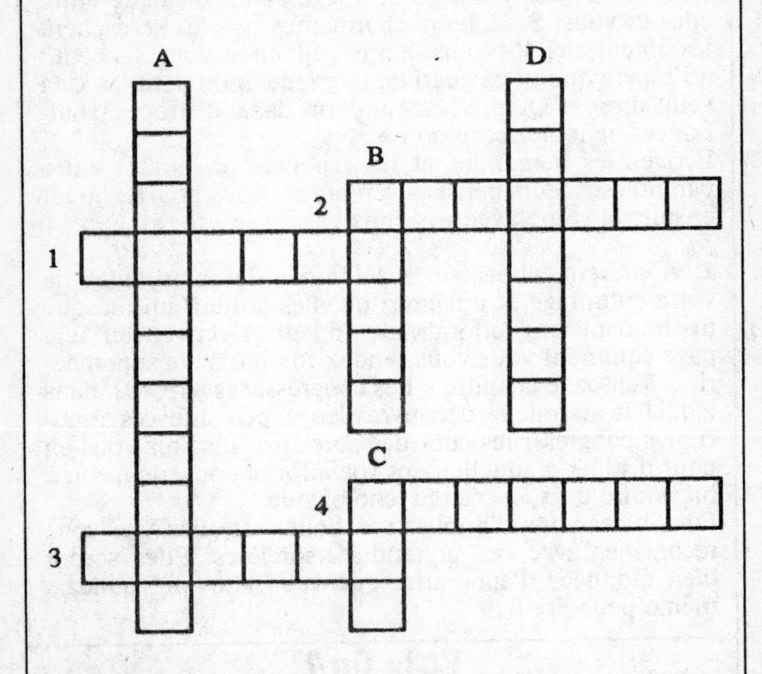

Horizontalement
1. Cérémonie magique d'origine africaine – 2. Dieu de la mer – 3. Pair, impair et fatidique – 4. Cercle dans carré et vice versa

Verticalement
A. Il faut la prononcer pour que le sort se réalise – B. Peut avoir des formes étranges – C. A englouti la ville d'Ys – D. Objet auquel on attribue un pouvoir magique

Solutions page 237

Mots en balai

A l'aide des définitions qui figurent ci-dessous, saurez-vous remplir le balai magique ? Vous découvrirez alors que se cache, verticalement, un animal qui, la nuit, ouvre l'œil.

1. Excellente position sur un balai.
2. Celui d'Oz se trouve dans un pays au-delà de l'arc-en-ciel.
3. Sans elles, comment réussir sa mixture ?
4. Et sans lui, comment seulement la faire ?
5. On s'en enduit pour guérir.

Solutions page 237

Que prépare la sorcière ?

Grâce aux lettres que vous piocherez dans le chaudron de la sorcière, retrouvez le nom de l'ingrédient qu'elle utilise.

Solutions page 237

Recette magique

Vous souvenez-vous des ingrédients indispensables à la préparation de la Potion Souris à retardement ?

- Le mauvais bout du télescope
- Du jus de crapaud
- Un réveil
- 45 queues de souris brunes, 45 souris marinées
- Le blanc d'œuf d'un grognassier
- La pince d'un craberonche
- Le bec d'un blablapif
- Le groin d'un cochon de vin
- La langue d'un chavélos

C'est tout. Aurez-vous l'imagination assez fertile pour concocter une recette de votre cru... celle de la Potion

Fourmi véloce (ou toute autre dénomination), grâce à laquelle, par exemple, les adultes seraient instantanément changés en fourmis ?

Cadavre exquis

Pour dessiner un personnage affreux, immonde, abominable comme la Grandissime Sorcière, il suffit de jouer au *Cadavre exquis,* jeu cher aux Surréalistes. Vous pouvez faire participer toute la classe. Plus on est nombreux, plus le jeu devient piquant !

Chacun prend une feuille de papier et un feutre noir. N'utilisez pas de crayon ni de gomme : le dessin n'a pas besoin d'être parfait, il doit avant tout être efficace et vigoureux.
Pliez votre feuille en trois. Dans le premier pli, en haut, dessinez une tête : tout est possible. Vous pouvez faire une trompe à la place du nez, dix yeux et pas de bouche. Terminez par le cou... Le dessin doit se terminer juste sur le pli. Lorsque vous avez fini, repliez la partie dessinée et indiquez à l'aide de deux petits traits où se situe le cou. Chacun donne sa feuille à son voisin de droite.
Vous avez maintenant celle de votre voisin de gauche. Surtout, ne la dépliez pas pour voir ce qu'il a fait car de votre ignorance dépendra la drôlerie du résultat final ! Repérez les deux petits traits indiquant le cou et prolongez le dessin sur la deuxième partie de la feuille ; dessinez le tronc et les bras : votre personnage peut avoir des bras de poulpe ou de pingouin, ou bien pas de bras du tout.
A nouveau, repliez, indiquez par deux traits l'endroit où le dessin doit être continué. Donnez la feuille à votre voisin de droite.
Sur la feuille que vous a passée votre voisin de gauche, terminez le dessin ; tracez les jambes et les pieds : vous pouvez faire une jambe de bois ou une série de petites chaussures comme pour un mille-pattes...
Le dessin est terminé. Chacun peut dérouler la feuille qu'il a entre les mains et la montrer aux autres : effet comique garanti !

Chez les dieux et les déesses

Le thème de la métamorphose se retrouve fréquemment dans la mythologie gréco-latine. Sauriez-vous compléter ces phrases en précisant qui a métamorphosé qui et en quoi ?

1. La magicienne .... a transformé les compagnons d'Ulysse en ....
2. La chasseresse Aréthuse, qui fuyait un inconnu trop ardent, fut changée par la déesse Artémis en ....
3. La nymphe Io filait le parfait amour avec le dieu Zeus. Mais sa femme Héra, qui rôdait dans les parages, transforma la nymphe en ....
4. Pour approcher la nymphe Léda qui se baignait dans une rivière, Zeus se change en ....
5. Une jeune fille de Ligye, nommée ...., savait si bien filer qu'elle défia Athéna, déesse des tisserandes. Toutes deux étaient de force égale : elles confectionnèrent un travail magnifique. Furieuse, la déesse changea .... en ....

Solutions page 237

Les sorcières à travers le monde

Universel, le personnage de la sorcière peut prendre des aspects divers et singuliers, selon les pays. Saurez-vous effectuer ce petit tour d'horizon en trouvant le nom de ces sorcières ?

1. Venue de Russie, elle habite une cabane montée sur des pattes de poulets. On la voit arriver dans un mortier qu'elle conduit à l'aide d'un pilon. Elle aime croquer les petits enfants.
2. Dans la tradition italienne, elle est mi-fée, mi-sorcière. Le jour de l'Épiphanie, elle distribue des bonbons aux gentils enfants et des morceaux de charbon aux vilains...
3. Personnage de contes chinois et japonais, elle a l'aspect d'une très belle jeune fille qui invite les passants à festoyer dans sa splendide maison. Le lendemain, les invités se retrouvent dans un terrain vague et comprennent qu'ils ont été floués...

Solutions page 237

Rébus

1. Titre d'un film célèbre de René Clair.

2. Autre titre de film célèbre dans lequel l'actrice principale est Judy Garland.

3. Personnage fameux dans le cycle des *Chevaliers de la Table ronde.*

Solutions page 238

La grille inquiétante

1. Sentiment que provoque la sorcière... ou l'araignée !
2. Ne le piétinez pas, il s'agit peut-être d'un prince charmant !
3. Si le chat est bon, il l'est aussi
4. Royaume mythique du Grand Nord
5. Sorti de la cuisse de Jupiter
6. Noir, il faut, paraît-il, s'en méfier
7. Le pirate n'est pas seul à le convoiter
8. Attention s'il est mauvais
9. Première femme d'Adam, elle devint celle du diable en personne
10. Pour la semer, nul besoin de sillon !

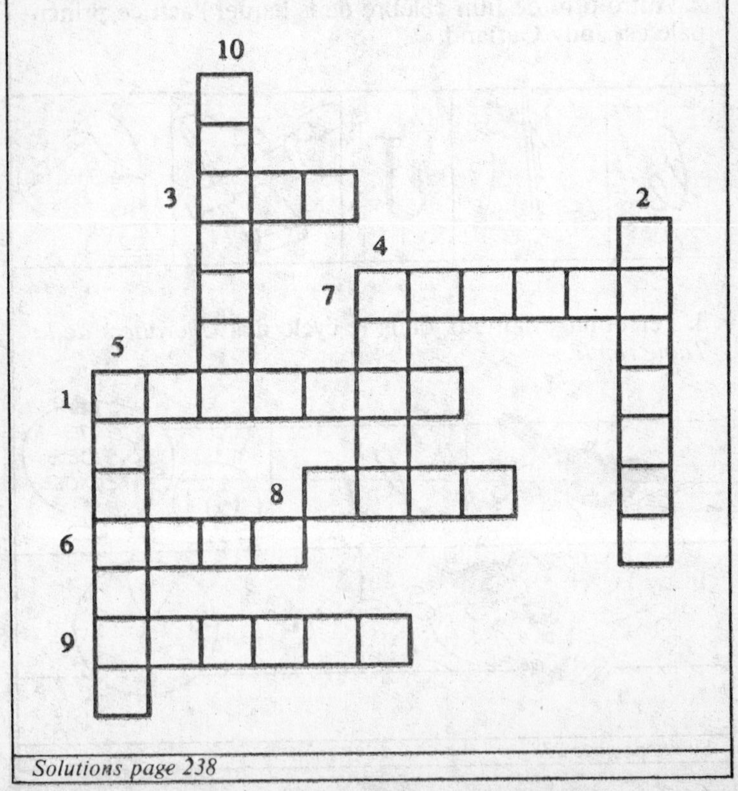

Solutions page 238

Le prince changé en crapaud

Le thème de la métamorphose se retrouve fréquemment dans les contes traditionnels. Vous souvenez-vous du titre et de l'auteur de chacun des contes ou récits dans lesquels ont lieu les métamorphoses suivantes ?

1. Un beau prince est transformé en un animal repoussant
2. Un canard qui était la risée de tous devient un cygne majestueux
3. Une citrouille devient carrosse
4. Sept frères sont changés en corbeaux
5. Un chasseur et sa femme, personnages très peu sympathiques, se réveillent un beau matin métamorphosés en canards.

Solutions page 238

Musiques ensorcelées

Attention, les sorcières sont partout ! Elles ont soufflé leur grain de venin sur certaines de ces œuvres musicales célèbres qu'il vous est peut-être arrivé de fredonner sans le savoir... A vous de découvrir dans cette liste, quelles musiques ont été... « ensorcelées ». Ensuite, sauriez-vous attribuer à chacune le nom de son compositeur ?

Macbeth - Ainsi parlait Zarathoustra - Faust - Une nuit sur le mont Chauve - Nocturnes - L'Amour sorcier - L'Enfant et les Sortilèges - La Symphonie fantastique

Solutions page 238

Chef d'accusation

Le nom de chacune de ces femmes nous rappelle un procès retentissant. Mais toutes n'ont pas été accusées de sorcellerie. Alors, cherchez le motif...

Jeanne d'Arc - Marie Stuart - La Voisin - Violette Nozières - Anne Boleyn - La marquise de Brinvilliers - Mata Hari.

Solutions page 238

3
LES MÉTAMORPHOSES DANS LA LITTÉRATURE

Les Trois Plumes

Ce conte met en scène le personnage du Simplet qui, parce qu'il a l'âme pure, va réussir là où ses frères, plus intelligents mais plus roublards, échoueront. Le roi, père des trois jeunes gens, les met à l'épreuve afin de désigner son successeur. Ses fils doivent rapporter le tapis le plus finement travaillé, puis le plus bel anneau et enfin la plus belle femme. Avec l'aide d'une grosse mère crapaud et de sa fille, le Simplet parvient à remporter les deux premières épreuves. Il ignore comment il gagnera la troisième...

« Le Simplet ne s'embarrassa de rien et ne fit ni une ni deux, mais descendit tout droit chez la grosse grenouille à laquelle il dit :

– Il faut que je revienne avec la plus belle femme au château.

– Hé, comme tu y vas ! s'exclama la grosse. La femme la plus belle ? Mais je ne l'ai pas comme cela, sous la main ! Attends seulement un peu : tu l'auras tout de même !

Elle lui donna une carotte creusée, à laquelle six petites souris étaient attelées.

– Qu'est-ce que je vais en faire ? demanda le Simplet tout éberlué et tout triste.

– Tu n'as qu'à y installer l'une de mes petites reinettes, répondit la grosse mère grenouille.

Il ne choisit pas, mais attrapa dans le cercle la première venue et la mit dans la carotte creusée. A peine y fut-elle, qu'elle se transforma et devint une merveilleuse petite demoiselle ; la carotte était un carrosse, et les six petites souris de magnifiques chevaux. Le Simplet embrassa la belle, fouetta les chevaux et arriva devant le roi. »

Grimm,
Contes,
traduction d'Armel Guerne,

L'Ane d'or ou Les Métamorphoses

Dans ce récit, picaresque avant la lettre, Lucien, métamorphosé en âne, subit des péripéties initiatiques dont il sortira homme complet et abouti. Apulée, Latin d'origine africaine, vécut au IIe siècle avant Jésus-Christ. Dans ce passage, nous assistons non pas à la métamorphose de Lucien en âne mais au moment où l'animal redevient homme.

« De son côté le prêtre, averti, comme l'événement me le prouva, de la prédiction qui m'avait été faite pendant la nuit, et admirant la façon dont tout se déroulait selon les instructions qu'il avait reçues, s'arrêta aussitôt et, de lui-même, étendit la main de façon à mettre la couronne devant ma bouche. Alors moi, tout tremblant, le cœur battant à se rompre, je saisis d'une lèvre avide la couronne, où brillaient les jolies roses dont elle était tressée et, impatient de voir se réaliser ce qu'on m'avait promis, je la dévorai. Et les assurances de la divinité ne se révélèrent pas vaines : immédiatement, se détache de moi l'apparence horrible de la bête ; d'abord, mon poil hérissé s'en alla, puis c'est ma peau épaisse qui s'amincit, mon ventre obèse qui se réduit, mes pieds qui poussent des orteils à travers les sabots, mes mains ne sont plus des pieds, mais se lèvent et se tendent pour me servir, mon cou allongé se raccourcit, mon visage et ma tête s'arrondissent, mes oreilles énormes retrouvent leur petitesse d'antan, mes dents jusque-là comme des meules reprennent des dimensions humaines et, ce qui, autrefois, faisait mon tourment, ma queue – elle n'est plus là ! La foule s'émerveille, les fidèles adorent une preuve aussi évidente de ce que peut la grande divinité et ce miracle, qui ressemble à ce que l'on voit en songe, et la facilité de ma métamorphose ; alors, à voix haute, tous ensemble, les mains tendues vers le ciel, ils portent témoignage de la grâce éclatante accordée par la déesse.

Quant à moi, je restai saisi d'une grande stupeur. »

Apulée,
L'Ane d'or ou
Les Métamorphoses,
traduction de Pierre Grimal,

Ah ! si j'étais un monstre...

Forfan nourrit un rêve fou : devenir un monstre. Ainsi, il prendrait sa revanche sur la bande de gaillards qui l'attaque à la sortie de l'école, la petite fille qu'il aime le remarquerait enfin et on ne le piétinerait plus dans l'autobus...

« Il se déshabille en roulant ses vêtements en boule, puis se regarde dans l'armoire à glace. Il ne voit qu'un petit garçon pas vraiment mignon, avec une tête ronde, des cheveux en brosse, un gros nez épaté et des yeux fureteurs. Rien de plus, Forfan n'est qu'un garçon comme tant d'autres.

– Non, ça ne se terminera pas comme ça ! grommelle-t-il en sautant à pieds joints sur son lit.

Il bondit, bondit à perdre haleine tout en fixant son reflet. Est-ce vraiment lui, ce garçon tout rouge, à l'œil flamboyant, qui semble hors de lui ? Non, ce n'est déjà plus lui.

– Je suis l'Immonde Bête Velue ! Je veux ! Je veux ! Je veux !

Il continue à sauter en donnant de grands coups de pied dans les coussins qui valsent vers les filets de pêche suspendus aux murs. Il plisse des yeux et crispe les poings. Il pousse des grognements comme un loup, comme un ours, comme un tigre. Une larme a glissé le long de sa joue, il l'avale. Elle a le goût salé des grandes aventures.

De l'autre côté du mur, sa mère lui crie :

– Arrête, Forfan ! Tu m'empêches de dormir.

Mais Forfan ne l'entend même pas car son corps est en train de se transformer. Le poil commence à pousser, d'abord un léger duvet brunâtre puis de grands poils bruns broussailleux. Le dessus de lit est lacéré par ses griffes. Les ressorts gémissent sous son poids. Forfan saute, saute, complètement hors de lui, car la glace lui renvoie maintenant l'image d'une boule toute poilue.

– J'ai réussi ! J'ai réussi ! Je suis l'Immonde Bête Velue ! »

Marie-Raymond Farré,
Ah ! si j'étais un monstre...,

L'Étrange Cas du Dr Jekyll et de M. Hyde

Décidément, le comportement du Dr Jekyll est des plus étranges... Voilà maintenant une semaine qu'il s'est enfermé dans son cabinet. Et lorsque ses proches, alarmés, se décident à forcer la porte, que découvrent-ils ? Le cadavre encore chaud de l'abominable Hyde, meurtrier recherché par toute la police du Royaume ! Du Dr Jekyll, aucune trace, sauf... une grande enveloppe jaune, qui contient une étonnante confession.

« J'avais depuis longtemps préparé ma potion. J'achetai immédiatement, chez un grossiste en pharmacie, une importante quantité de certain sel qui, ainsi que mes expériences me l'avaient appris, constituait le dernier ingrédient nécessaire. Très tard, par une nuit maudite, je mélangeai les éléments, assistai à leur ébullition dans le verre ; puis, quand toute fumée eut disparu, je pris mon courage à deux mains et, d'un seul coup, avalai la mixture.

Suivirent les douleurs les plus effroyables. Je sentis mes os se désagréger ; je fus pris de terribles vomissements, en même temps que j'éprouvais une angoisse dont l'intensité égale certainement celle qui préside à notre naissance ou à notre mort. Peu à peu, ces affres commencèrent à disparaître et je revins à moi avec l'impression que l'on éprouve au sortir d'un grave évanouissement. Il y avait quelque chose d'étrange dans mes sensations, quelque chose d'ineffablement neuf et, en raison de sa nouveauté même, d'une douceur incroyable. Je me sentais plus jeune, plus léger, plus leste. Intérieurement, j'avais conscience d'une capiteuse insouciance, d'un courant d'images sensuelles désordonnées qui me trottaient par l'imagination comme un carrousel endiablé, un affranchissement de tout sens du devoir, une liberté inouïe, mais non point innocente de l'âme. Je me reconnus, dès les débuts mêmes de cette nouvelle vie, dix fois plus pervers, dix fois plus méchant, dix fois plus esclave du péché originel ; et cette pensée, en ce moment-là, me réconforta et m'enivra comme un vin généreux. J'étendis les mains, exultant dans la nouveauté de ces sensations et, tout à coup, je m'aperçus que j'étais devenu plus petit.

A cette époque, il n'y avait pas de miroir dans mon cabinet. Celui qui se trouve à côté de moi, pendant que j'écris ces lignes, n'a été apporté que plus tard dans le dessein d'observer ces transformations. La nuit, cependant, avait graduellement fait place au crépuscule du matin, un crépuscule sombre, mais qui annonçait néanmoins l'imminente apparition du jour. Les hôtes de ma demeure reposaient encore dans les liens du sommeil. Dans l'ivresse de mon triomphe, je me décidai, sous ma nouvelle forme, à gagner ma chambre à coucher. Je traversai la cour où, du haut du ciel, les constellations devaient regarder avec stupéfaction le premier individu d'une espèce sans précédent. Je me faufilai à travers les couloirs, étranger dans ma propre demeure, et, arrivant à ma chambre, je vis, pour la première fois, apparaître Edward Hyde. »

R.L. Stevenson,
L'Étrange Cas du Dr Jekyll et de M. Hyde,
traduction de Charles-Albert Reichen,

L'Éléphant

Par un bien morne dimanche, Delphine et Marinette regardent leurs parents s'éloigner sous la pluie. Et si un nouveau déluge menaçait la terre ? Décidées à l'affronter, elles transforment la cuisine en arche de Noé et prennent pour passagers les animaux de la ferme ! Mais comment consoler la petite poule blanche, si déçue de ne pas avoir été choisie ?

« – Tout de même, il nous manque un éléphant. La poule blanche pourrait faire l'éléphant...

– C'est vrai, l'Arche aurait besoin d'un éléphant...

Delphine ouvrit la fenêtre, prit la petite poule dans ses mains et lui annonça qu'elle serait éléphant.

– Ah ! je suis bien contente, dit la poule blanche. Mais comment est-ce fait un éléphant ? Je n'en ai jamais vu.

Les petites essayèrent de lui expliquer ce qu'est un éléphant, mais sans y parvenir. Delphine se souvint alors d'un livre d'images en couleurs, que son oncle Alfred lui avait donné. Il se trouvait dans la pièce voisine qui était la chambre des parents. Laissant à Marinette la surveillance de l'Arche, Delphine emporta la poule blanche dans la chambre, ouvrit le livre devant elle, à la page où était représenté l'éléphant, et donna encore quelques explications. La poule blanche regarda l'image avec beaucoup d'attention et de bonne volonté, car elle avait très envie de faire l'éléphant.

– Je te laisse un moment dans la chambre, lui dit Delphine. Il faut que je retourne dans l'Arche. Mais en attendant que je revienne te chercher, regarde bien ton modèle.

La petite poule blanche prit son rôle si à cœur qu'elle devint un véritable éléphant, ce qu'elle n'avait pas osé espérer. La chose arriva si vite qu'elle ne comprit pas tout de suite le changement qui venait de s'opérer. Elle croyait qu'elle était encore une petite poule, perchée très haut, tout près du plafond. Enfin, elle prit connaissance de sa trompe, de ses défenses en ivoire, de ses quatre pieds massifs, de sa peau épaisse et rugueuse qui portait encore quelques plumes blanches. Elle était un peu étonnée, mais très satisfaite. Ce qui lui fit le plus de plaisir, ce fut de posséder d'immenses oreilles, elle qui n'en avait, auparavant, pour ainsi dire point. “Le cochon, qui était si fier des siennes, le sera peut-être moins en voyant celles-ci”, pensa-t-elle.

Mais quand l'éléphant voulut entrer dans la cuisine, il s'aperçut que la porte n'était ni assez haute ni assez large pour lui permettre le passage, il s'en fallait d'au moins une fois et demie.

– Je n'ose pas forcer, dit-il, j'aurais peur d'emporter le mur avec moi. C'est que je suis fort..., je suis même très fort...

– Non, non, s'écrièrent les petites, ne forcez pas ! vous jouerez depuis la chambre.

Elles n'avaient pas encore pensé que la porte était trop petite et c'était une nouvelle complication qui avait de quoi les effrayer. »

Marcel Aymé,
Les Contes bleus
du chat perché,

4
SOLUTIONS DES JEUX

Êtes-vous un défenseur des bonnes causes ?

(p. 205)

Si vous avez obtenu une majorité de ○ : vous êtes un (ou une) incurable Don Quichotte. Les causes que vous défendez mordicus sont innombrables, des plus grandes aux plus minimes. Vous débusquez l'injustice partout, et la vie se présente à vos yeux comme la bagarre titanesque du Bien et du Mal. Vous, vous avez choisi votre clan. Personne ne niera votre générosité, mais vous vous complaisez un peu trop dans l'héroïsme : vous faites bien savoir que tout le monde passe avant vous. Personne ne vous donne de conseil, vous connaissez seul la voie à suivre. Vous adorez la grandiloquence mais, faute d'esprit pratique, vous manquez souvent d'efficacité. Ne songez-vous pas, quelquefois, que vous vous acharnez contre des moulins à vent ?

Si vous avez obtenu une majorité de △ : l'injustice vous fait bondir, la méchanceté sauter au plafond. Vous les combattez courageusement avec les moyens du bord. Conscient de ne pas être tout-puissant et de ne pouvoir régler seul les innombrables problèmes où se débat ce pauvre vieux monde, vous n'hésitez pas à demander conseil ou un coup de main. Vous n'agitez ni les grands mots ni les grandes phrases. Votre sens de la réalité ainsi que votre don de sympathie vous aident. Votre action est spontanée mais non dépourvue de bon sens. En un mot, vous êtes efficace... et fort sympathique.

Si vous avez obtenu une majorité de ☆ : ainsi va le monde, pour vous, cahin-caha, semé d'embûches, et vous prétendez vous en contenter. Pourquoi aller contre la pente naturelle des gens enclins à la méchanceté ? Arriver soi-même à exister sans trop de mal constitue en soi une épreuve de force qui mobilise toute votre énergie. Alors le reste... Vous préférez ne pas vous faire remarquer et vous placer du bon côté du manche : celui où l'on ne risque rien. Vous avez peu d'amis. Bien sûr, vous n'admirez que les plus forts qui souvent vous dédaignent. Qui a dit que les plus forts étaient nécessairement méchants ?

Si vous avez obtenu une majorité de □ : vous éprouveriez une intense jubilation si l'on vous traitait d'individu diabolique et sans scrupules. Même si vous faites semblant de croire le contraire, vous savez que rien n'est noir ou blanc. Il y a chez vous un énorme goût de la mystification et encore un peu d'humour... Servez-vous-en pour vous moquer de vous-même, sinon vous risquez vraiment d'exploser... ou d'être changé en souris par un plus fort !

Vingt questions pour commencer

(p. 207)

1 : C (p. 16) - 2 : A (p. 18) - 3 : B (p. 19) - 4 : B (p. 25) - 5 : C (p. 23) - 6 : B (p. 24) - 7 : B (p. 25) - 8 : A (p. 27) - 9 : B (p. 29) - 10 : C (p. 32) - 11 : C (p. 12) - 12 : B (p. 37) - 13 : C (p. 37) - 14 : C (p. 40) - 15 : B (p. 42) - 16 : A (p. 42) - 17 : B (p. 42) - 18 : A (p. 45) - 19 : B (p. 49) - 20 : B (p. 52)

Si vous avez obtenu plus de 15 bonnes réponses : votre excellente mémoire vous a permis d'enregistrer tous les détails du récit qui vous a certainement beaucoup plu.

Si vous avez obtenu de 8 à 15 bonnes réponses : vous avez retenu l'essentiel de l'histoire, sans plus.

Si vous avez obtenu moins de 8 bonnes réponses : avez-vous réellement aimé cette histoire et, surtout, êtes-vous sûr de l'avoir vraiment bien lue ?

Quinze mots pas si faciles

(p. 212)

1 : C et D - 2 : B et D - 3 : B - 4 : A - 5 : C - 6 : A - 7 : C - 8 : c'était un piège ! ce mot n'existe pas - 9 : C - 10 : B - 11 : C - 12 : A - 13 : C - 14 : D - 15 : C

Si vous avez obtenu plus de 10 bonnes réponses : bravo, vous avez non seulement un riche vocabulaire, mais aussi un sens aigu du mot juste.
Si vous avez obtenu de 5 à 10 bonnes réponses : vous manquez parfois de discernement dans le choix des mots mais, dans l'ensemble, vous disposez d'un bon vocabulaire.
Si vous avez obtenu moins de 7 bonnes réponses : vous semblez quelque peu fâché avec les mots et leurs sens ! N'hésitez pas à consulter plus souvent et plus attentivement le dictionnaire. C'est un précieux allié qui facilitera vos lectures, et vous les rendra sûrement plus plaisantes !

Vingt questions pour continuer

(p. 214)

1 : C (p. 52) - 2 : B (p. 53) - 3 : C (p. 55) - 4 : B (p. 57) - 5 : A (p. 59) - 6 : C (p. 76) - 7 : C (p. 73) - 8 : A (p. 78) - 9 : B (p. 81) - 10 : A (p. 82) - 11 : B (p. 90) - 12 : C (p. 52) - 13 : B (p. 95) - 14 : B (p. 104) - 15 : B (p. 96) - 16 : B (p. 127) - 17 : B (p. 134) - 18 : A (p. 134) - 19 : B (p. 135) - 20 : B (p. 149)

Si vous avez obtenu plus de 15 bonnes réponses : visiblement, l'univers de Roald Dahl vous a séduit et vous avez dévoré son histoire sans presque en laisser une miette !
Si vous avez obtenu de 8 à 15 bonnes réponses : vous avez sauté ou mal lu certains passages. C'est dommage, car vous vous êtes privé ainsi d'un grand plaisir.
Si vous avez obtenu moins de 8 bonnes réponses : ce livre ne semble guère être parvenu à captiver votre attention. Peut-être un autre auteur ou un autre type d'ouvrage sauraient-ils mieux la retenir ?

Douze questions pour conclure

(p. 218)

1 : C (p. 158) - 2 : A (p. 161) - 3 : B (p. 169) - 4 : C (p. 172) - 5 : A (p. 176) - 6 : C (p. 184) - 7 : B (p. 187) - 8 : C (p. 189) - 9 : A (p. 190) - 10 : B (p. 190) - 11 : B (p. 190) - 12 : C (p. 196)

Si vous avez obtenu plus de 9 bonnes réponses : vous savez tirer le plus grand profit de vos lectures ; c'est un excellent atout.
Si vous avez obtenu de 5 à 8 bonnes réponses : n'en concluez pas trop vite que vous êtes un lecteur moyen ou médiocre. Votre attention est peut-être seulement trop irrégulière, et dépendante de votre humeur...
Si vous avez obtenu moins de 5 bonnes réponses : ce résultat est-il le fruit d'un hasard malheureux ou d'une mémoire vraiment trop défaillante ?

Mots en escalier

(p. 220)

Horizontalement : 1. Vaudou - 2. Neptune - 3. Nombre - 4. Mandala
Verticalement : A. Incantation - B. Nuage - C. Mer - D. Fétiche

Mots en balai

(p. 221)

Horizontalement : 1. Califourchon - 2. Magicien - 3. Herbes - 4. Chaudron - 5. Onguent
Verticalement : Hibou

Que prépare la sorcière ?

(p. 222)

L'ingrédient que la sorcière a jeté dans son chaudron est la salsepareille. Il s'agit d'un arbuste épineux !

Chez les dieux et les déesses

(p. 224)

1. Circé. Pourceaux - 2. Fontaine - 3. Vache - 4. Cygne - 5. Arachné. Araignée

Les sorcières à travers le monde

(p. 224)

1. Baba Yaga - 2. La Befana - 3. La Renarde

Rébus

(p. 225)

1. Ma femme est une sorcière - **2.** Le Magicien d'Oz - **3.** Merlin l'Enchanteur

La grille inquiétante

(p. 226)

1. Horreur - 2. Crapaud - 3. Rat - 4. Thulé - 5. Hercule - 6. Chat - 7. Trésor - 8. Œil - 9. Lilith - 10. Terreur

Le prince changé en crapaud

(p. 227)

1. *La Belle et la Bête*, de Mme Leprince de Beaumont - 2. *Le Vilain Petit Canard*, d'Andersen - 3. *Cendrillon*, de Perrault - 4. *Les Sept Corbeaux*, de Grimm - 5. *Le Doigt magique*, de Roald Dahl

Musiques ensorcelées

(p. 227)

Macbeth (Giuseppe Verdi) - *Faust* (Charles Gounod) - *Une nuit sur le mont Chauve* (Modest Moussorgski) - *L'Amour sorcier* (Manuel de Falla) - *La Symphonie fantastique* (Hector Berlioz)

Chef d'accusation

(p. 227)

Jeanne d'Arc, La Voisin et la marquise de Brinvilliers furent accusées de sorcellerie. Mata Hari fut condamnée pour espionnage ; Anne Boleyn, pour adultère ; Violette Nozières, pour meurtre et Marie Stuart, pour crime de lèse-majesté.

Au pied de la cascade (quel étonnant spectacle !) d'énormes tuyaux de verre pendillaient par douzaines, un bout trempant dans la rivière, l'autre accroché quelque part au plafond, très haut ! Ils étaient vraiment impressionnants, ces tuyaux. Extrêmement nombreux, ils aspiraient l'eau trouble et brunâtre pour l'emporter Dieu sait où. Et comme ils étaient de verre, on pouvait voir le liquide monter et mousser à l'intérieur, et le bruit bizarre et perpétuel que faisaient les tuyaux en l'aspirant se mêlait au tonnerre de la cascade.

Des arbres et des arbustes pleins de grâce poussaient le long de la rivière : des saules pleureurs, des aulnes, du rhododendron touffu à fleurs roses, rouges et mauves. Le gazon était étoilé de milliers de boutons d'or.

"Voyez" s'écria Mr Wonka en sautillant. De sa canne à pommeau d'or, il désigna la grande rivière brune. "Tout cela, c'est du chocolat ! ❞

(Extrait du chapitre 15)

CHARLIE ET LE GRAND ASCENSEUR DE VERRE

n° 65

Charlie Bucket a hérité de la fabuleuse chocolaterie de Mr. Wonka, qu'il survole à présent à bord d'un grand ascenseur de verre. Mais l'appareil est monté trop haut, si haut... qu'il navigue maintenant à travers l'espace.

« Monsieur grand-papa Joe ! hurla Mr. Wonka, soyez gentil, allez tourner cette manette, dans ce coin de l'Ascenseur, là-bas ! elle libère la corde !

– Une corde ne servira à rien, Mr. Wonka ! Les Kpoux la grignoteront en un rien de temps !

– C'est une corde en acier, dit Mr. Wonka, en acier très résistant. S'ils essaient de la ronger, leurs dents se briseront comme des bricoles ! Approche-toi de tes boutons, Charlie ! Il faut que tu m'aides à manœuvrer ! Nous allons nous mettre au-dessus de la Capsule du Personnel et tenter de trouver un endroit pour l'accrocher solidement.

Comme un navire de guerre partant à l'assaut, le Grand Ascenseur de Verre, toutes fusées allumées, vogua doucement vers le sommet de l'énorme Capsule. Immédiatement, les Kpoux cessèrent d'attaquer la Capsule et se dirigèrent vers l'Ascenseur. Les escadrons de Kpoux Vermicieux géants, les uns après les autres, se précipitèrent rageusement contre la merveilleuse machine de Mr. Wonka ! WHAM ! CRASH ! BANG ! Un terrible bruit de tonnerre retentit. L'Ascenseur fut projeté dans l'air comme une feuille. A l'intérieur, grand-maman Joséphine, grand-maman Georgina et grand-papa Georges, flottant dans leur chemise de nuit, braillaient, s'égosillaient, agitaient les bras et appelaient au secours. »

(Extrait du chapitre 11)

MATILDA

n° 744

Avant même d'avoir cinq ans, Matilda sait lire et écrire, connaît tout Dickens, a dévoré Kipling et Steinbeck. Pourtant son existence est loin d'être facile, entre une mère indifférente, abrutie par la télévision, et un père d'une franche malhonnêteté. Sans oublier Mlle Legourdin, la directrice de l'école, personnage redoutable qui voue à tous les enfants une haine implacable.

« Mlle Legourdin avait maintenant atteint sa victime et la dominait de toute sa hauteur.

– Quand tu reviendras à l'école demain, vociféra-t-elle, je veux que ces saletés de nattes aient disparu. Tu vas me les couper et les jeter à la poubelle, compris ?

Amanda, statufiée par la peur, parvint à balbu tier :

– Mmm... maman les aime bbb... beaucoup. Elle me les ttt... tresse tous les mama... matins.

– Ta mère est une pochetée ! aboya Mlle Legourdin.

Elle pointa un index de la grosseur d'un saucisson sur la tête de l'enfant et brailla :

– Avec cette queue qui te sort du crâne, tu as l'air d'un rat !

– Mm... man trouve ça tr... tr... très joli, mademoiselle, bégaya Amanda, tremblant comme une crème renversée.

– Je me fiche comme d'une guigne de ce que pense ta mère ! hurla Legourdin.

Sur quoi, elle se courba brusquement sur Amanda, empoigna ses deux nattes de la main droite, la souleva de terre et se mit à la faire tournoyer autour de sa tête de plus en plus vite, tout en criant :

– Je t'en ficherai, moi, des nattes, sale petit rat ! tandis que la petite fille s'époumonait de terreur.

– Souvenir des Olympiades, murmura Hortense. Elle accélère le mouvement tout comme avec le marteau. Je vous parie 10 contre 1 qu'elle va la lancer. »

(Extrait du chapitre 10)

James
et la grosse pêche

n° 517

Les parents de James ont été dévorés par un rhinocéros ! Il est recueilli par deux tantes acariâtres, véritables harpies, qui le forcent à travailler comme un esclave. Mais un vieil homme lui remet un jour un sac rempli de « petites choses vertes », qu'il laisse malencontreusement tomber au pied d'un vieux pêcher. Commence alors une aventure fantastique au cœur d'une pêche géante.

“James se mit à genoux devant le trou. Il y introduisit d'abord la tête et les épaules.

Il y entra tout entier, en rampant.

Et il continua à ramper.

“C'est beaucoup plus qu'un trou, pensa-t-il, tout ému. C'est un véritable tunnel !”

Le tunnel était humide et sombre. Il y régnait une curieuse odeur douce-amère de fruit frais. Sous ses genoux, le sol était détrempé, les parois visqueuses et suintantes ; du jus de pêche coulait du plafond. James ouvrit toute grande la bouche et tira la langue. Le jus était délicieux.

Il dut escalader une pente, comme si le tunnel conduisait au cœur même du fruit gigantesque. Toutes les deux secondes, James s'arrêtait pour manger un morceau de la paroi. La pêche était sucrée, juteuse et merveilleusement rafraîchissante.

Il fit encore plusieurs mètres en rampant lorsque soudain – bang ! – sa tête heurta quelque chose d'extrêmement dur qui lui barrait le chemin. Il leva les yeux sur une paroi solide qui, à première vue, semblait être de bois. Il avança une main. Au toucher, cela ressemblait bien à du bois, mais à du bois tout sinueux, tout craquelé.

– Juste ciel ! s'écria-t-il. Je sais ce que c'est ! Je viens de me cogner au noyau de la pêche !

Puis il aperçut une petite porte découpée à même le noyau.”

(Extrait du chapitre 10)

La potion magique de Georges Bouillon

n° 463

La grand-mère de Georges est une vieille chipie ; qui sait, peut-être même une sorcière... terrorisé, le petit garçon s'enferme dans la cuisine et lui prépare une potion magique de sa composition ; une potion qui devrait lui permettre de se débarrasser pour de bon de cette mégère...

« Georges prit un énorme chaudron dans le placard de la cuisine et le posa sur la table.

– Georges ! Que fais-tu ? cria la voix aiguë de Grandma dans la pièce voisine.

– Rien, Grandma, répondit-il.

– Tu crois que je n'entends pas parce que tu as fermé la porte ? Et ce bruit de casserole ?

– Je range la cuisine, Grandma.

Puis ce fut le silence.

Georges savait bien ce qu'il allait faire pour préparer sa fameuse potion. Inutile de se casser la tête. C'était simple, il mettrait *tout* ce qui lui tomberait sous la main. Pas d'hésitation, pas de question, pas d'embrouillamini pour savoir si un produit secouerait ou non la vieille *Tout* ce qu'il verrait de coulant, gluant ou poudreux, il le jetterait dans le chaudron. »

(Extrait du chapitre 4)

Le bon gros géant

n° 602

Sophie ne rêve pas, cette nuit-là, quand elle aperçoit de la fenêtre de l'orphelinat une silhouette immense vêtue d'une longue cape noire. Une main énorme s'approche et la saisit. Et Sophie est emmenée au pays des géants. Terrifiée, elle se demande de quelle façon elle va être dévorée. Mais la petite fille est tombée entre les mains d'un géant peu ordinaire…

« Sophie cessa de discuter. Elle ne voulait surtout pas risquer de mettre le géant en colère.

– Les hommes de terre, continua-t-il, ont des milmillions de goûts différents. Par exemple en Autruche, ils ont bigrement le goût d'oiseau. Il y a quelque chose de très volatile en Autruche.

– Vous voulez dire en *Autriche*, rectifia Sophie. L'autruche n'a rien à voir avec l'Autriche…

– L'Autriche, c'est l'Autruche, dit le géant, ne blablatifole pas avec les mots. Je te donne un autre exemple : les hommes de terre des îles Shetland ont un détestable goût de laine qui râpe la langue, on a l'impression de mâcher des bulles en verre.

– Vous voulez dire des pull-over, rectifia de nouveau Sophie.

– Et voilà que tu recommences à blablatifoler ! s'écria le géant, ça suffit, maintenant ! Ceci est un sujet sérieux et dix ficelles. Je peux continuer ? »

(Extrait du chapitre 3)

L'ENFANT QUI PARLAIT AUX ANIMAUX

n° 674

Willy le Jamaïcain est au comble de la fierté : il vient de pêcher une tortue géante. Renversée sur le dos, elle agonise en agitant ses grotesques nageoires... Des touristes contemplent la scène et s'esclaffent. Seule une petite voix indignée s'élève – une petite voix obstinée comme le vrai courage.

Trois nouvelles de Roald Dahl : L'Enfant qui parlait aux animaux, L'Auto-stoppeur *et* Le Trésor de Mildenhall.

« Allons, tortue, vas-y ! cria le petit garçon. Retourne à la mer !

La tortue leva ses yeux noirs et enfoncés sur le petit garçon. Ses yeux étaient brillants, vifs, pleins de la sagesse que donne le grand âge. L'enfant lui rendit son regard et, lorsqu'il lui parla, ce fut d'une voix douce et amicale :

– Au revoir, ma vieille, dit-il. Et cette fois, va très loin. »

(Extrait de *L'Enfant qui parlait aux animaux*)

Les deux gredins

n° 141

La barbe de Compère Gredin est un véritable garde-manger, garni des reliefs de ses monstrueux festins : restes de spaghettis aux lombrics, déchets de tarte aux oiseaux... un régal que Commère Gredin lui prépare chaque semaine avec les oiseaux qu'il attrape grâce à la Glu Éternelle. Mais voilà qu'une bande de singes acrobates et un Oiseau Arc-en-ciel troublent les préparatifs du plat hebdomadaire...

« Compère Gredin avait une énorme barbe broussailleuse qui lui couvrait la figure, sauf le front, les yeux et le nez. Ses poils formaient des épis hérissés comme les poils d'une brosse à ongles. D'affreuses touffes lui sortaient même des oreilles et des narines.

Compère Gredin avait l'impression que sa barbe lui donnait l'air particulièrement sage et noble. Mais en vérité, cela ne trompait personne. Compère Gredin était un gredin. Petit gredin dans son enfance, il était maintenant un vieux gredin de soixante ans.

Et combien de fois pensez-vous que Compère Gredin lavait sa figure hirsute ?

JAMAIS ! Même pas le dimanche »

(Extrait du chapitre 2)

Moi, Boy

n° 393

Ce livre n'est pas une autobiographie. L'idée ne me viendrait pas d'écrire pareil ouvrage. Par ailleurs, durant mes jeunes années à l'école et juste après, ma vie a été émaillée d'incidents que je n'ai jamais oubliés. Certains furent drôles. Certains douloureux. Certains déplaisants. C'est pour cette raison, je suppose, que je me les rappelle tous de façon aussi aiguë.

R. Dahl

Escadrille 80

n° 418

C'est en Afrique, au Tanganyika – aujourd'hui la Tanzanie – que Roald Dahl occupe son premier emploi dans une compagnie pétrolière. Mais la guerre éclate et, pour combattre l'Allemagne d'Hitler, il s'engage dans la R.A.F. Commence alors pour Roald Dahl une période exaltante, fertile en découvertes et en dangers.

La suite de Moi, Boy *où l'auteur évoquait son enfance. Une autobiographie aussi passionnante qu'un roman.*